Lições de vida e linguagens do amor

# Lições de vida e linguagens do amor

*O que aprendi em minha inesperada jornada*

GARY CHAPMAN

Traduzido por Luciana Chagas

MUNDO CRISTÃO

Os textos bíblicos foram extraídos da *Nova Versão Transformadora* (NVT), da Tyndale House Foundation, salvo indicação específica.



*CIP-Brasil. Catalogação na publicação*
*Sindicato Nacional dos Editores de Livros, RJ*

C432L

Chapman, Gary D., 1938-
Lições de vida e linguagens do amor : o que aprendi em minha inesperada jornada / Gary Chapman ; tradução Luciana Chagas. - 1. ed. - São Paulo : Mundo Cristão, 2022.
160 p.

Tradução de: Life lessons and love languages : what I've learned on my unexpected journey
ISBN 978-65-5988-118-5

1. Chapman, Gary D., 1938-. 2. Vida cristã. 3. Igrejas batistas - Clero - Biografia. I. Chagas, Luciana. II. Título.

22-77492 CDD: 286.092
CDU: 929:277.4

*Meri Gleice Rodrigues de Souza - Bibliotecária - CRB-7/6439*

*Categoria:* Biografia
1ª edição: julho de 2022

*Edição*
Daniel Faria

*Revisão*
Natália Custódio

*Produção*
Felipe Marques

*Diagramação*
Marina Timm

*Colaboração*
Ana Luiza Ferreira

*Adaptação de capa*
Ricardo Shoji

Publicado no Brasil com todos os direitos reservados por:

Editora Mundo Cristão
Rua Antônio Carlos Tacconi, 69
São Paulo, SP, Brasil
CEP 04810-020
Telefone: (11) 2127-4147
www.mundocristao.com.br

# Sumário

*Introdução* 7

**Seção Um**

**As primeiras influências, na casa em que cresci: 1938–1955**

A vida numa pequena cidade dos Estados Unidos 13
Na escola 20
Na igreja 23
Lições que aprendi com meus vizinhos 29
A decisão que mudou minha vida para sempre 31

**Seção Dois**

**A poderosa influência de minha jornada acadêmica: 1955–1967**

A vida na cidade: Chicago e o Instituto Bíblico Moody 35
Lições que aprendi nas montanhas do Tennessee 43
Explorando a antropologia: Faculdade Wheaton 47
Lições que aprendi em Colorado Springs 51
Explorando a teologia: Seminários Batistas do Sudeste e do Sudoeste dos Estados Unidos 53

**Seção Três**

**Lições que aprendi no casamento: 1961–Dias atuais**

A jornada que resultou no casamento 65
O vagaroso percurso rumo à unidade 71
Um enorme passo adiante 79
Quando veio o câncer 83

**Seção Quatro**

**A influência que recebi de meus filhos: 1964–Dias atuais**

Não existem dois filhos idênticos 91
Pais e mães são mais velhos (e mais sábios) que os filhos 95
Reflexões motivadas por Shelley 98
Reflexões motivadas por Derek 100
Como aprendi a lidar com a ira 102
Lições que aprendi com Clarence, meu filho espiritual 105
Ser avô é divertido 108

**Seção Cinco**

**Os desafios e as alegrias de minha jornada vocacional: 1967–Dias atuais**

Superando decepções 113
O ministério universitário 117
O ministério com adultos solteiros 122
O ministério de aconselhamento 125
O ministério de escrita 128
O ministério de rádio 133
O ministério como conferencista nos Estados Unidos 136
O ministério como conferencista internacional 144

*Epílogo* 151
*Livros de autoria ou coautoria de Gary Chapman* 154
*Agradecimentos* 158

* * *

*Dedicado a todas as pessoas que, cooperando com Deus, me ajudaram a compreender estas lições de vida.*

# Introdução

Muitos de nós vivemos em tamanha correria que raramente paramos para refletir sobre o que fazemos, por que fazemos e para onde isso está nos conduzindo. Somos seres de ação, estamos sempre realizando algo, mas quase nunca reservamos tempo para refletir acerca das grandes questões da vida. Entretenimento, prazer e busca por felicidade se tornaram as metas de muita gente. Porém, até mesmo quando tais metas são atingidas, o espírito humano clama por algo mais.

Neste mundo permeado por tecnologia, a humanidade alcançou lugares nem sequer imaginados na época em que eu era criança. O acesso a conhecimentos dos mais variados está na ponta de nossos dedos. Somos a geração mais instruída de toda a história e, a despeito disso, ainda lutamos uns contra os outros como se fazia em culturas tribais antigas. Por quê? O que pretendemos conquistar? Para onde estamos indo? Essas são as perguntas que a nova geração se faz. E tudo o que nos cabe é torcer para que ela encontre as respostas.

Contudo, para aqueles de nós que se aproximam do final da jornada, também é tempo de reflexão. Tempo de olhar para trás e perguntar: Por onde andamos? O que realizamos? O que nos espera? Como cheguei aqui? Como me tornei quem sou?

Estando em campo já perto do término da partida, tenho dedicado tempo a me fazer perguntas desse tipo. Tenho olhado em retrospectiva para uma vida extremamente satisfatória.

São poucos os arrependimentos. Sinto-me muito abençoado e sensibilizado quando passo tempo meditando sobre minha jornada. Nas próximas páginas, compartilho esses pensamentos no intuito de encorajar quem acompanha minha trajetória.

Creio que, muito frequentemente, as gerações deixam de partilhar com aquelas que as sucedem a sabedoria conquistada por meio dos altos e baixos da vida. E, às vezes, as novas gerações deixam de fazer perguntas aos adultos mais velhos e de escutá-los. Na busca pelo ídolo mais recente, os jovens desperdiçam a sabedoria que está bem diante deles. Espero que minhas reflexões incentivem outros "adultos mais velhos" a refletir também. Independentemente de apresentar-se na forma de um livro ou não, o registro de nossa jornada tem potencial para provocar enorme impacto em nossos netos e bisnetos. Oro para que os jovens adultos leitores destas páginas sintam-se motivados a procurar os mais velhos à sua volta e perguntar-lhes sobre a jornada da vida. É bem possível que desejem copiar os sucessos e evitar os fracassos das gerações anteriores.

Creio que, muito frequentemente, as gerações deixam de partilhar com aquelas que as sucedem a sabedoria conquistada por meio dos altos e baixos da vida. E, às vezes, as novas gerações deixam de fazer perguntas aos adultos mais velhos e de escutá-los.

Quero dividir com você alguns insucessos e alguns êxitos que tive na vida, bem como o que aprendi com eles. Também quero honrar todos que exerceram influência sobre mim. Nenhum de nós se torna quem é contando apenas com os próprios esforços; somos influenciados por muitas pessoas e circunstâncias.

Eu jamais poderia planejar a vida que vivi. Não me entenda mal: eu fiz planos, mas a maioria deles não saiu como imaginei. Tornei-me profundamente consciente da verdade do antigo provérbio hebreu: "É da natureza humana fazer planos, mas é o Senhor quem dirige nossos passos" (Pv 16.9). Aos 17 anos, eu já sabia que queria investir minha vida em servir a Cristo servindo às pessoas. Esse plano se concretizou, mas nem em meus sonhos mais ousados eu poderia imaginar como isso aconteceria.

Naqueles anos remotos, se alguém cogitasse dizer que eu passaria metade da vida aconselhando casais, eu provavelmente teria perguntado: "O que é aconselhar?". A mera ideia de que eu me tornaria autor de mais de cinquenta livros teria ensejado a pergunta: "Por que eu escreveria um livro? O que afinal eu teria a dizer?". E, mesmo depois de me tornar escritor, caso afirmassem que meus livros seriam traduzidos para mais de cinquenta idiomas, é bem possível que eu respondesse: "Você só pode estar de brincadeira!".

Se alguém me dissesse que eu obteria diplomas de graduação e pós-graduação em antropologia, eu teria indagado: "O que é antropologia?". Se falassem que eu alcançaria um título de PhD, muito provavelmente eu perguntaria: "Que sigla é essa?". Eu me via concluindo o ensino médio e cursando a faculdade, mas pensava que, depois disso, me dedicaria ao trabalho.

Jamais sonhei que um dia seria levado a discursar no Pentágono, em Washington, D.C.; a falar durante um encontro de embaixadores americanos vindos de trinta países; ou a participar de um almoço em Londres com membros do Parlamento britânico, com os quais discuti como a igreja e o governo poderiam trabalhar juntos a fim de suprir as necessidades humanas de maneira mais efetiva. Tampouco imaginei que percorreria mais de vinte países conduzindo *workshops* sobre casamento e vida em família. Além disso, certamente nunca me ocorreu integrar uma equipe eclesiástica durante cinquenta anos. Não, eu não conseguiria planejar o que vivi. E, sim, eu fiz planos, mas o Senhor dirigiu meus passos.

Nas próximas páginas, procuro apresentar as marcas deixadas pelas mãos de Deus enquanto ele usava as mais diversas pessoas e situações para realizar os planos que reservava para mim. O relato dessa jornada será pautado nas cinco principais influências que recebi. (Como você já deve saber, gosto do número cinco!) Vou compartilhar as lições que aprendi ao longo do caminho e mostrar como cada uma delas me preparou para o passo seguinte. Espero que essa partilha encoraje você em sua jornada com Deus. De igual modo, é bem provável que você tenha planos para sua vida, e isso é bom; mas garanta que esses planos estejam à disposição de Deus. Ele vai direcionar seus passos também.

SEÇÃO UM

# AS PRIMEIRAS INFLUÊNCIAS, NA CASA EM QUE CRESCI

1938-1955

# A vida numa pequena cidade dos Estados Unidos

O que vou compartilhar nas páginas adiante tem o propósito de dar a você uma noção de como era a vida nos meus tempos de criança, morando numa cidadezinha da Carolina do Norte com minha mãe, meu pai e Sandra, minha irmã. Ali passei meus primeiros dezessete anos, que exerceram grande influência sobre minha vida.

Depois de quarenta anos aconselhando casais e famílias, estou bem certo de que as crianças são fortemente impactadas pela família em que crescem. A dor emocional que mais me aflige é estar diante de pessoas que cresceram sem a presença do pai e/ou da mãe ou que tiveram genitores abusivos. Passei boa parte da vida tentando ajudá-las a romper com os padrões destrutivos que aprenderam na infância.

Aqueles de nós que cresceram em famílias estáveis e amorosas contam com uma notória vantagem na vida. E isso me deixa muito grato. Sam e Grace, meu pai e minha mãe, foram casados por 62 anos. Eles não eram perfeitos, mas foram um casal empenhado que amou a Deus e ofereceu um ambiente terno e seguro para Sandra e para mim.

Tudo começou em Kannapolis, na Carolina do Norte. Quando o bicudo-do-algodoeiro comeu toda a plantação de algodão na Geórgia, a família de meu pai deixou a fazenda para trabalhar na fábrica têxtil situada em Kannapolis, que, à época, consistia no maior vilarejo da Carolina do Norte desprovido de governo local. Toda aquela área pertencia à tecelagem Cannon Mills, que, além de proprietária e locadora de todas as oficinas têxteis dali, era dona de todo o comércio e provia a comunidade de serviços policiais e de proteção contra incêndios.

Foi ali que Sam e Grace se conheceram e se apaixonaram. Em 1935, aos 23 e 25 anos, respectivamente, eles fugiram para a Carolina do Sul, onde se casaram. Nem os pais dele nem os dela souberam do casamento. Durante três meses, ele e ela continuaram morando com as famílias de origem, até juntarem dinheiro suficiente para alugar uma casa. Anos mais tarde, perguntei à minha mãe:

— Vocês fizeram sexo nesse período?

Ao que ela respondeu:

— Não. Só quando nos mudamos para nossa casa.

(A vida era diferente nos anos 1930.)

O médico informou à minha mãe que ela provavelmente não poderia engravidar. Apesar disso, ela orou e, no ano seguinte, em 10 de janeiro de 1938, eu nasci. Passados quatro anos, nasceu minha irmã. Mamãe sempre se mostrou grata pelos filhos que teve e, depois que eu soube do que o médico havia predito, percebi que a mão de Deus agiu para que viéssemos ao mundo.

Quando eu tinha 2 anos, nós nos mudamos para uma casa construída por meus pais em China Grove, cerca de seis quilômetros distante de Kannapolis. O nome da cidade fazia referência aos bosques de cinamomo que havia ali. Todas as minhas memórias de infância giram em torno daquela casa novinha, que custou exatos 5.016 dólares — e tinha até água encanada! (A vida era diferente nos anos 1930.)

Então, veio a Segunda Guerra Mundial. O irmão de meu pai havia se mudado para Syracuse, no estado de Nova York, a fim de trabalhar numa usina siderúrgica. A promessa era que funcionários de "indústrias de defesa" não seriam convocados para o serviço militar. Meu pai preferiu dedicar-se à siderurgia a esquivar-se de balas; com isso, também nos mudamos para lá, onde permanecemos por apenas dezoito meses. A única recordação que tenho de Syracuse é que, no inverno, a neve acumulada ficava mais alta que eu. Tendo enfrentado invernos rigorosíssimos, papai resolveu que era preferível se juntar aos militares, razão pela qual retornamos para China Grove e ele ingressou na Marinha.

Pelos três anos seguintes, mamãe cuidou de nós sozinha e quase todos os dias escreveu uma carta para o papai, que estava alocado numa embarcação onde não havia serviço diário de correios. Mais tarde, ele nos contou que às vezes recebia um maço de cartas, que lia com avidez. De tempos em tempos, recebíamos uma carta dele. Recordo que Sandra e eu ficávamos escutando minha mãe ler essas correspondências. Ao final delas, papai quase sempre nos dizia: "Abracem bem forte a mãe de vocês por mim e lembrem-se de que lhe devem obediência".

Nossa casa era a terceira à direita numa poeirenta rua de faixa única que terminava na encosta da linha férrea. As casas ficavam bem perto umas das outras, e a vizinhança era amistosa. Meu avô morava na primeira casa com minha avó (que vivia acamada), a filha deles, Reba Nell, e o filho desta, Kinney. O tio Bob e a tia Hazel moravam na segunda casa e tinham dois filhos, Bobby e Darrell; a gente costumava jogar basquete no quintal de trás da casa deles. Aos sábados, rapazes da comunidade negra localizada a cerca de um quilômetro dali vinham se juntar a nós. (Eram tempos de segregação racial.) Sempre gostamos de jogar juntos, mas, quando a partida terminava, os rapazes voltavam para sua comunidade; nas segundas-feiras, eles iam para a escola deles, e nós, para a nossa. (As coisas eram diferentes nos anos 1940.) Foi nessa época que se cultivou em mim a noção de que todos foram criados em condição de igualdade. Essa semente continuaria a crescer nos anos seguintes.

Atrás de casa havia uma ampla horta onde aprendi a cultivar batata, milho, vagem, abóbora, pepino, tomate, nabiças e pimentão. Em minhas recordações mais remotas, vejo-me ajudando meu pai a cuidar daquele espaço durante a primavera e o verão. A função de mamãe era cozinhar e enlatar tudo o que se produzia ali. (Ainda não havia *freezers*.) Eu passava parte do tempo trabalhando, e estou certo de que isso se refletiu em minha ética profissional, o que me foi muito útil. Nunca vi o trabalho como dever, mas como oportunidade de ser produtivo.

À esquerda da horta existia uma "cobertura para carro" que abrigava um veículo grande e dois depósitos, estes situados na parte próxima da horta. Num deles armazenávamos carvão, que, durante o inverno, era aceso no fogão para manter a casa quente. O outro guardava as ferramentas com que trabalhávamos na horta e aparávamos a grama. Tanto o arado quanto o aparador de grama eram manuais, ou seja, funcionavam com a força de nosso braço. (A vida era diferente nos anos 1940.)

Atrás da cobertura para carro havia o galinheiro, onde sempre mantínhamos ao menos uma dúzia de galinhas e um galo. Era eu quem costumava alimentar essas aves, dar água a elas e apanhar seus ovos. A gente comia muitos ovos recheados e sanduíches de salada de ovo. Atrás dali havia um chiqueiro que abrigava apenas um porco. Quando ele atingiu o "ponto de corte", fizemos salsichas e costeletas; também guardamos sua banha. Desconheço o motivo, mas nunca tivemos outro — o que me deixou bastante feliz, pois jamais gostei de alimentar aquele animal.

Nos anos em que frequentei a escola, minha rotina era chegar em casa, comer um lanche e fazer a lição. Depois disso, se estivéssemos na primavera ou no verão, eu ajudava meu pai na horta. Já mais velho, aos sábados eu aparava a grama. Quanto às tarefas domésticas, minha irmã e eu dividíamos a lavagem das louças após o jantar; essa é uma função da qual ainda gosto. Aprecio a sensação de dever cumprido quando encho a lava-louças e vou à pia lavar vasilhas e panelas. Evidentemente, na minha infância não tínhamos lava-louças: tudo era lavado na pia e colocado sobre uma bandeja plástica, onde secava. Essa habilidade se mostrou bem útil em meu casamento, visto que a linguagem do amor de minha esposa, Karolyn, é atos de serviço. "Obrigado, mamãe, por me ensinar a lavar a louça. Você colaborou muito para que meu casamento fosse bem-sucedido."

Quando o clima estava frio demais para trabalhar na horta ou brincar fora de casa, Sandra e eu brincávamos com jogos de tabuleiro. Uma ou duas vezes por semana, toda a família se reunia para ouvir as notícias do país transmitidas pelo rádio. Às vezes, podíamos ouvir algum outro programa também. Os únicos de que me lembro são *As aventuras do Zorro* e *A vida com Luigi*. Este segundo era uma comédia acerca das experiências de um imigrante italiano recém-chegado a Chicago. Ríamos todos juntos nessas ocasiões, e elas ainda compõem doces memórias de meus tempos de criança.

Caso você esteja se perguntando, em nossa rua ninguém tinha televisão. Em 1946, somente seis mil residências no país dispunham desse aparelho. Esse número subiu para doze milhões em 1951. Em 1955, havia televisores em metade das casas — obviamente, todos em preto e branco; a tevê em cores veio depois. Os primeiros em nossa rua a ter televisão foram tio Bob e tia Hazel, que moravam ao lado de nós. Isso foi em 1951, quando eu tinha 13 anos. Recordo-me da primeira vez que, ao visitá-los, vi o aparelho. Foi difícil acreditar que estávamos vendo pessoas de outras regiões do país!

Pelo que lembro, foi só em 1953 que tivemos tevê em casa. Em geral, assistíamos ao canal CBS News e aos noticiários locais, transmitidos da cidade de Charlotte. Concluí o ensino médio em 1955, portanto a televisão não foi algo relevante em minha infância. Sempre me pergunto que influência as tevês e os computadores exerceriam sobre mim se tivessem sido parte da minha criação. Sei que pareço antiquado falando sobre os "bons e velhos tempos", mas agradeço o fato de minha infância ter sido permeada de estudos, trabalho, brincadeiras e idas à igreja. Não precisei ficar traumatizado com notícias acerca do que ocorria no mundo, notícias essas que hoje são continuamente despejadas dentro dos lares. Eu estava sempre ocupado com afazeres.

Pais e mães que porventura estejam lendo isto, deixem-me incentivá-los a organizar a vida de seus filhos. Eles prosperam quando têm uma vida bem estruturada. Por estrutura me refiro a tempo para estudar, para brincar, para fazer tarefas domésticas, para se entreter e para dormir. Nos anos em que atuei como conselheiro, aprendi que crianças que fazem tão somente o que querem fazer e apenas quando desejam fazê-lo costumam se tornar adolescentes entediados. Crianças precisam ser guiadas, pois não sabem o que é melhor para elas. Pais e mães são mais velhos que os filhos e, na maioria dos casos, mais sábios. Uma vida bem estruturada dá à criança um senso de segurança. Não permita que seu filho passe todo o tempo livre diante de uma tela ou distraindo-se com *video games*. Esse estilo de vida o acompanhará até quando for adulto, o que comprometerá o bem-estar dele.

Deixem-me frisar também o valor de estabelecer um horário para as crianças irem para a cama. Fico abismado quando vou ao supermercado às nove e meia da noite e vejo crianças de 4 ou 5 anos fazendo compras com os pais. Mesmo que você seja mãe solteira, eu a encorajaria a definir um horário para seus filhos dormirem. No que se refere ao sono, as crianças precisam de padrões consistentes, pois, se não dormem direito, ficam com a saúde física e mental negativamente afetada. Estabelecer horário para os filhos irem para a cama também beneficia o casal, possibilitando que ambos concluam projetos específicos ou relaxem e aproveitem um tempo a sós.

Outra meta importante para pais e mães é ensinar às crianças habilidades para toda a vida. Eu nunca saberia plantar e cuidar de uma horta se meu pai não tivesse me ensinado. Recentemente, jantei com um grupo de jogadores de futebol profissionais acompanhados das respectivas esposas. Durante nossa conversa, discutimos o que acontece quando eles "passam da idade" de atuar em campo. Um deles disse: "O problema é que não sabemos fazer nada além de jogar futebol. Desde que eu era criança, o futebol tem sido minha vida. Não sei fazer mais nada". E todos os outros concordaram. Propus que preparassem uma lista de tudo o que gostariam que seus filhos fossem capazes de realizar aos 18 anos e, na idade apropriada, lhes ensinassem tais habilidades.

Por muitos anos fiz essa recomendação a pais e mães. Se você tem filhos adolescentes, deixe-os ajudá-lo a preparar essa lista. É possível que você se surpreenda com o que eles vão sugerir. Há um antigo provérbio hebreu que diz: "Ensine seus filhos no caminho certo, e, mesmo quando envelhecerem, não se desviarão dele" (Pv 22.6). Assim, se seu filho(a) vier a se casar, sua nora ou seu genro vai elogiar você pelo modo como o(a) preparou para a vida.

# Na escola

Quando voltamos para nossa casa na Carolina do Norte, eu tinha 6 anos. Com 5 anos e meio, ingressei no primeiro ano escolar em Syracuse; portanto, quando retornamos, eu já havia concluído metade desse ano letivo. Minha mãe e a direção da escola decidiram que eu estava pronto para cursar o segundo ano. Desse modo, sempre fui um ano mais novo que a maioria dos meus colegas de classe, e terminei o ensino médio aos 17. Toda manhã eu caminhava até o ponto de ônibus que ficava no cruzamento da Rodovia 29-A com a Estrada Mt. Moriah Church, onde embarcava com a turma da vizinhança rumo à Escola de Ensino Fundamental Landis. Utilizei o mesmo ônibus escolar durante todo o ensino fundamental e o ensino médio; as escolas ficavam próximas, perto da tecelagem Landis.

As lembranças da minha vida acadêmica são boas, com exceção das registradas no quinto ano, quando fui espancado pela Sra. Coffee. Não recordo o que fiz, mas jamais me esqueci da dor provocada pela pá usada por ela. (A vida era diferente nos anos 1940.) Tirando isso, eu gostava da escola. Sempre gostei de ler; no ensino fundamental, meu livro favorito era *Silver Chief, o cão do norte*, de Jack O'Brien. Eu quase podia ver a respiração dos cães e sentir o ar gelado. Talvez tenha sido naquela época que o gosto por aventura despertou em mim.

No final do ensino fundamental e no ensino médio, eu gostava de matemática elementar, mas nunca fui fã de álgebra nem de geometria. Nas aulas de ciências, meus temas favoritos eram física e biologia. Minha disciplina predileta era inglês, tanto gramática quanto literatura. Mas as aulas de que mais gostei foram as de Introdução à Bíblia. Isso mesmo! Nas escolas públicas de ensino médio, ensinavam-se as Escrituras. (A vida era diferente nos anos 1950.) Embora ela jamais tenha se dado conta disso, a Srta. Jabour, minha professora de aula bíblica, exerceu profunda influência sobre minha vida. De fato, foi por causa de um comentário dela que mais tarde me desloquei para Chicago e ingressei no Instituto Bíblico Moody. Mas isso é assunto para depois.

Um episódio trágico mexeu muito comigo enquanto eu cursava o ensino médio. O governo local decidiu erguer um novo prédio escolar e, durante a construção, uma explosão matou um dos inspetores. Antes disso, eu não pensava muito na morte e, então, me entristeci ao saber que alguém perdera o pai e outro alguém perdera o marido. Eu não conhecia o inspetor pessoalmente, mas aquilo me doeu. Também refleti sobre a finitude da vida. A morte pode ser repentina.

Aquela foi minha primeira experiência com o luto. No tempo em que fui pastor, estive diante de inúmeros túmulos abertos e entendi por que Jesus chorou no de Lázaro (Jo 11). Não acredito que Jesus tenha lamentado por Lázaro propriamente, pois sabia que o traria de volta à vida. Penso que Jesus vislumbrava o futuro e se identificava com a dor que a morte causa ao coração humano. Aprendi a chorar com os que choram (Rm 12.15).

Penso que Jesus vislumbrava o futuro e se identificava com a dor que a morte causa ao coração humano.

No último ano do ensino médio, fui eleito líder de classe.

Por vezes me questionei quanto à razão daquilo, pois não me via em condição de liderança. Quando a turma votou no "melhor isso", "melhor aquilo", "melhor aquilo outro", venci cinco categorias. Como só podíamos assumir duas, escolhi "melhor amigo" e "mais propenso ao sucesso". Essas duas pareciam ocupar o mesmo lugar em minha mente. Aos 17 anos, fui para a faculdade em Illinois e nunca mais voltei a morar em China Grove. Ou seja, não mantive contato com meus colegas de turma. Em diversas ocasiões, desejei ter me esforçado mais para preservar aquelas amizades.

## Na igreja

Tive outra grande influência em meus primeiros 17 anos de vida: a igreja. Refiro-me à Igreja Batista Landis, onde fui profundamente impactado pelo pastor Arthur Blackburn, por minha professora de escola dominical, Bertha Cranford, e por meu líder de juventude, Elmer Phipps. Para minha família, a igreja era parte importante da vida. Frequentávamos a escola dominical e adorávamos a Deus todo domingo de manhã. Retornávamos à igreja nas noites de domingo e de quarta-feira. Na época em que cursava o ensino médio, eu passava boa parcela do tempo na companhia do grupo de jovens.

Papai só se converteu a Cristo depois de se casar com mamãe. Ela era cristã e frequentava a igreja regularmente, e ele começou a acompanhá-la quando ainda eram namorados. (Não subestime a influência de uma moça sobre um rapaz.) Dois anos após o casamento, papai se tornou um verdadeiro seguidor de Jesus. Quando mamãe era mais velha, eu disse a ela:

— Foi arriscado casar-se com papai antes de ele se converter a Cristo.

— Eu sei — ela respondeu. — Mas Deus cuidou disso.

Mamãe tinha razão, pois, ao dedicar a vida a Cristo, papai o fez por completo e de uma vez por todas.

Uma resolução de meu pai ilustra o compromisso dele com o ensinamento bíblico acerca da importância do pai na vida dos filhos. Na tecelagem havia três turnos de trabalho: das sete da manhã às três da tarde, das três da tarde às onze da noite, e das onze da noite às sete da manhã. Papai escolheu o terceiro turno. O motivo? Ele queria estar em casa à tarde e no começo da noite, para ficar junto de minha irmã e de mim. Em razão disso, trabalhava durante toda a noite e dormia até as três da tarde, quando então estava pronto para passar o restante do tempo conosco. Essa configuração ainda lhe permitia cultivar a horta à tardinha e, como eu era seu "auxiliar", isso instigou em mim a alegria de poder trabalhar e ver os resultados de nossos esforços. Também possibilitava que jantássemos em família todas as noites, tradição que Karolyn e eu copiamos enquanto nossos filhos moravam em casa.

Foi na igreja que percebi, pela primeira vez, que não era cristão. Quando eu tinha 10 anos, estava na igreja numa noite de domingo e ouvi o preletor apresentar um sermão que me fez compreender, pela primeira vez na vida, o fato de que eu nunca aceitara voluntariamente a Cristo como meu Salvador e Senhor. Eu conhecia as histórias da Bíblia, mas jamais havia sentido Deus me pedindo para entrar em minha vida, oferecê-la a ele e deixar que a guiasse. Tive plena noção de que Deus estava me chamando, mas tive receio de ir à frente de todas aquelas pessoas e assumir que não era cristão. Muitas pessoas acreditam que, por frequentarem a igreja regularmente, são cristãs. Naquela noite, soube em meu coração que isso não é verdade. Eu precisava ir muito além; tinha de haver uma resposta pessoal a Cristo.

Debati-me com os pensamentos e as emoções que me acometeram, mas não reagi quando o pastor convocou todos que quisessem se tornar cristãos a deixar seus lugares e ir à frente. Saí dali naquela noite sentindo-me como se tivesse rejeitado a Deus e prometi a mim mesmo que iria à frente no domingo seguinte. Contudo, uma semana depois, no culto, não senti nada do que havia experimentado no domingo anterior. Cogitei ter perdido a oportunidade. Sabia que Deus me chamara e que eu resistira. Então, novamente, saí da igreja atordoado. Outro domingo depois, voltei à igreja e, ao final do culto, senti de novo o chamado de Deus para que eu entregasse minha vida a ele. Dessa vez, quase corri à frente quando o pastor abriu a oportunidade. Naquela noite ofereci minha vida a Cristo, e foi a decisão mais importante que já tomei.

Obviamente, eu não reconhecia a importância daquela decisão, mas sabia que Deus estava me chamando; então, respondi.

Sei que muitos adultos se questionam se as crianças de fato compreendem o que estão fazendo quando expressam o desejo de seguir a Cristo. Obviamente, eu não reconhecia a importância daquela decisão, mas sabia que Deus estava me chamando; então, respondi. O que descobri ser a "paz de Deus" ocupou meu coração naquela noite, e tive a certeza de que eu era um verdadeiro cristão. Tal decisão influenciou todas as outras que tomei depois dela.

A prova dos nove do meu compromisso veio cerca de duas semanas mais tarde, quando numa manhã, no ponto de ônibus, Bo Gulledge, estudante do último ano do ensino médio, andou até mim e perguntou com voz áspera:

— Me disseram que você é cristão. Isso é verdade? — Olhei para a camisa dele, em cuja manga ele enrolara um maço de cigarros, e fiquei sem palavras. — E aí, você é cristão? — gritou.

— Não, eu não — respondi.

— Então tá bom — disse ele indo embora.

Fiquei arrasado. Recordei a história de Pedro negando Jesus três vezes. Senti-me como se tivesse abandonado Deus, a exemplo do que fez o apóstolo. Naquela noite, chorei em oração e pedi a Deus que me perdoasse e me ajudasse a jamais negá-lo de novo. Bo não voltou a me procurar, e eu me mantive longe dele depois do ocorrido. (Ele se formou naquele mesmo ano, e nunca mais o vi.) Por vezes, arrependi-me de não ter ido até Bo e dito a verdade acerca de meu compromisso com Cristo. Anos mais tarde, já adulto e visitando China Grove, perguntei a várias pessoas se elas se lembravam dele, mas ninguém respondeu afirmativamente. Por vezes, eu me indaguei: "O que terá acontecido com Bo Gulledge?".

Essa experiência dolorosa deixou uma marca profunda em mim. Ela me impeliu a ser sincero e honesto quanto às minhas crenças espirituais e a me comportar de modo não beligerante nem presunçoso, mas a ser imensamente grato pelo que Deus fez por mim e manter-me disposto a compartilhar seu evangelho com as pessoas.

Também foi em China Grove que me tornei resoluto quanto ao consumo de álcool. Depois da morte de sua esposa, meu avô paterno, alcoólatra, adotou um estilo de vida bastante simples: trabalhava no primeiro turno da fábrica têxtil, ia para casa, jantava e se dirigia ao posto de combustível Goat Turner, cerca de um quilômetro a oeste, na Rodovia 29-A sentido sul; o lugar era conhecido como "toca da cerveja". Vovô se juntava aos amigos em volta da mesa, onde ficavam conversando e bebendo até as oito da noite, quando então ele ia para casa dormir.

Certa noite, um homem bateu à nossa porta e disse ao meu pai que vovô estava caído, bêbado, numa vala à margem da rodovia. Era uma noite fria, então papai me disse: "Vista o casaco. Temos de socorrer seu avô". Pelo que me recordo, eu tinha por volta de 11 ou 12 anos. Quando o encontramos, ele resmungava deitado na vala. Ao abaixar-se e pegar meu avô pelo braço, papai falou: "Levante, pai. Vamos para casa". Meu pai e eu, cada qual segurando vovô por um lado para mantê-lo em pé, caminhamos até a casa dele e o colocamos na cama. Durante todo o trajeto, ele resmungou dizendo que não precisava de nossa ajuda.

Foi nessa noite que decidi não consumir álcool. Não lembro se meu pai falou algo comigo sobre esse assunto, mas não seria necessário. Vi por mim mesmo as consequências do uso abusivo de álcool e quis ficar longe daquilo. Nunca me arrependi de tal decisão nem renunciei a ela. Porém, ao longo de todos esses anos, vi muitos jovens arruinados pelo álcool e pelas drogas.

Isso me remete ao dia em que decidi não destruir minha vida pelo uso de drogas. Jogávamos basquete no quintal quando ouvimos o ruído de uma moto. Olhamos na direção da rodovia e vimos uma motocicleta literalmente voando pelos ares. O motorista, que descia a Estrada Mt. Moriah Church, cruzou a Rodovia 29-A e atravessou um barranco indo direto para um terreno baldio a menos de cem metros de onde estávamos.

Corremos para o local do acidente, onde o motociclista gritava de dor, preso às ferragens. Tentamos falar com o homem, mas ele sentia tanta dor que não conseguia nos ouvir. Um de nós correu para dentro de casa e ligou para a polícia. (Isso foi antes de haver celulares. Os telefones ficavam em lugares fixos nas casas.) Logo chegaram os policiais e uma ambulância com socorristas, que cuidaram de tudo. Ficamos assistindo enquanto levavam o homem embora.

No dia seguinte, ouvimos que o motociclista estava sob efeito de drogas. Eu nunca soube se ele sobreviveu ou morreu, mas naquela semana decidi nunca usar drogas que alterassem meu "estado de consciência" — um compromisso que sempre procuro incutir na mente dos jovens. Uma das grandes tragédias de nossa sociedade é o número de jovens viciados em drogas antes mesmo de completar 18 anos. Pesquisas alertam que o cérebro humano só alcança pleno desenvolvimento aos 25 anos de idade. É lastimável que pessoas destruam o próprio cérebro com essas substâncias.

No livro *Choose Greatness: 11 Wise Decisions That Brave Young Men Make* [Escolha a excelência: 11 decisões sábias de rapazes corajosos], que escrevi com Clarence Schuler, nós encorajamos os jovens a optar por viver mais e melhor evitando drogas e álcool. Creio que essa é uma das resoluções mais importantes que se pode tomar na juventude. Sou imensamente grato por haver me apropriado dela ainda novo. Descobri que um cérebro sadio é um bem muito precioso.

# Lições que aprendi com meus vizinhos

As crianças que moravam na mesma rua poeirenta e sem saída que nós também costumavam brincar em nosso quintal. Meus primos Bobby, Darrell e Kinney, assim como Sandra e eu, morávamos nas três primeiras casas. Então vinha a casa de Vickey e, mais adiante, a de Mickey, que embora fosse mais novo era maior que eu. Lembro-me de uma vez em que os meninos se envolveram numa guerra de frutos de cinamomo, atirando-os com estilingue. As frutinhas tinham o tamanho de bolas de gude e eram quase tão duras quanto elas. Nós nos escondíamos atrás das árvores e tentávamos atingir uns aos outros.

Acertei bem perto do olho de Mickey, que, obviamente, correu chorando para dentro de casa. A irmã mais velha dele saiu, percebeu o que havia ocorrido e, em tom de ameaça verbal, gritou: "Basta com as guerras de cinamomos!". Lamentei ter machucado Mickey. Até então, aquilo era apenas um jogo; mas aprendi que nunca mais deveria me envolver em brincadeiras que machucassem alguém, ainda que para mim fossem só um jogo.

A celebração do Halloween me ensinou algo parecido. Nessa data, à noite, as crianças da rua sempre saíam anunciando: "Doces ou travessuras!". Lembro-me de uma casa em que ninguém abriu a porta quando batemos e, por isso, decidimos esvaziar um dos pneus do carro da moradora. Na manhã seguinte, ao tentar sair para o trabalho, a mulher ficou furiosa.

Algum desconhecido tinha contado a ela que eu estivera envolvido na traquinagem, e ela comunicou meu pai. Até onde me recordo, aquela foi uma das poucas ocasiões em que apanhei, e da qual nunca mais me esqueci. Foi a última vez em que fiz molecagens desse tipo.

Em outra noite de Halloween, outros garotos e eu nos convencemos de que, se empurrássemos com força, conseguiríamos derrubar o banheiro que ficava do lado de fora da casa do Sr. Lipe. Ele e a esposa nunca tinham dado nenhum doce para nós, então aquela seria nossa "travessura". A casa deles era a única onde ainda havia banheiro externo. Todas as outras tinham água encanada, o que, evidentemente, incluía um banheiro interno. Como se pode imaginar, nossos pais ficaram muito envergonhados de nosso comportamento e aboliram as travessuras nas celebrações de Halloween. Poderíamos bater à porta das casas e receber doces, mas, dali em diante, as traquinagens estavam proibidas.

Essas experiências me ensinaram que diversão às custas do bem-estar dos outros está longe de ser um ato de amor, e sou feliz por ter aprendido isso quando ainda era criança.

## A decisão que mudou minha vida para sempre

Eu cursava o último ano do ensino médio quando comecei a experimentar uma crescente sensação de que Deus desejava usar minha vida para ministrar às pessoas. Eu sabia que seguiria para a faculdade, então me questionava: "E agora? O que faço da vida?". À medida que ponderava isso, compreendi que Deus tinha planos para mim. Certo domingo, perguntei a alguns amigos se podiam orar comigo naquela tarde. Minha intenção era que orassem comigo pedindo que Deus me desse sabedoria quanto aos planos dele para minha vida. Ao final daquele período de oração, entendi que a vontade de Deus era que eu me dedicasse ao ministério vocacional.

Eu conhecia apenas duas "vocações espirituais": pastorado e missão. Imaginei missionários trabalhando na selva, mas se havia algo de que eu não gostava era de cobras; por isso achei que Deus desejava que eu fosse pastor. Naquela tarde, entreguei minha vida totalmente a ele, na intenção de fazer somente o que ele quisesse. Senti-me aliviado e exultante. Aliviado do peso do "E agora? O que faço da vida?", e exultante pelo que me aguardava.

Sim, meus primeiros dezessete anos influenciaram profundamente as lições que aprendi na vida.

## O QUE APRENDI NA INFÂNCIA

1. Que pais amorosos potencializam imensamente a vida de seus filhos.
2. Que diversão às custas dos outros não tem a menor graça.
3. Que a descoberta da alegria proporcionada pela leitura de livros me preparou para a jornada acadêmica.
4. Que o envolvimento com uma igreja amorosa teve enorme impacto positivo em mim.
5. Que o álcool e as drogas destroem vidas.
6. Que o trabalho árduo é muito recompensador.

SEÇÃO DOIS

# A PODEROSA INFLUÊNCIA DE MINHA JORNADA ACADÊMICA

1955-1967

# A vida na cidade: Chicago e o Instituto Bíblico Moody

A década seguinte de minha vida foi dedicada à educação superior. Conforme relatei, tudo começou no último ano do ensino médio, na aula bíblica lecionada pela Srta. Jabour. Ela fez menção ao Instituto Bíblico Moody, do qual eu nunca tinha ouvido falar. Jerry Wright, um amigo meu, escreveu para lá e recebeu um catálogo institucional. Um dia, na sala de estudos, peguei esse material emprestado de Jerry. Quando terminei a leitura, soube que aquele era o seminário que eu deveria frequentar. Então, escrevi pedindo um catálogo e um formulário de inscrição. (Isso foi antes de os computadores se tornarem populares.)

Ao preencher o formulário, dei-me conta de que precisava de uma carta de referência assinada por meu pastor, a quem indaguei se conhecia o Instituto Bíblico Moody. Ele respondeu:

— Tudo o que sei é que fica em Chicago e que foi fundado por um evangelista de nome D. L. Moody, uma espécie de Billy Graham do século 19.

Notei que eu sabia mais do seminário do que ele.

— O senhor escreveria uma carta para eles me recomendando? Quero estudar lá.

— Com o maior prazer!

Poucos meses depois, eu me vi num ônibus em Salisbury, na Carolina do Norte, a caminho de Chicago. Da janela, avistei minha mãe e meu pai. Mamãe chorava. Presumi que ela estivesse feliz, mas, receando começar a chorar também, não me ative a suas lágrimas. (Obviamente, eu não sabia nada sobre a mistura de emoções que pais e mães experimentam quando mandam os filhos para a faculdade.)

Não recordo muita coisa daquela longa viagem de ônibus, mas me lembro de ter chegado a Chicago, apanhado minhas duas malas, caminhado até a rua e acenado para um motorista de táxi. Eu nunca havia entrado num táxi, mas tinha visto, na tevê, como requisitar um deles. Pedi ao motorista que me levasse até o Instituto Bíblico Moody e, em poucos minutos, saltei no número 820 da Avenida North LaSalle, onde paguei a corrida e atravessei o arco que dá acesso ao *campus* do Instituto. Mal sabia eu que minha realidade estava prestes a mudar radicalmente.

Como os dormitórios masculinos estavam lotados, fui avisado de que ficaria no Lawson, um edifício mantido pela Associação Cristã de Moços (ACM) e situado a dois quarteirões do Moody. O Instituto alugara o quinto andar desse prédio como alojamento complementar para rapazes. Assim, segui pela Avenida Chicago com minhas duas malas de rodinhas até que percorri com os olhos a altura do edifício da ACM, onde viria a fazer algo que, para mim, era inédito: aprendi a partilhar um quarto, a saber, com um moço de Iowa. Foi também na ACM que aprendi a nadar, pois nunca havia entrado numa piscina. (A vida era diferente numa cidadezinha da Carolina do Norte dos anos 1950.)

Jamais vou me esquecer daquele primeiro inverno. O vento frio que soprava do Lago Michigan e atingia meu corpo em cheio fazia os dois quarteirões entre a ACM e o Moody parecerem dois quilômetros. Felizmente, uma vez no Moody, eu só precisaria sair dali à noite, quando caminhava de volta até o alojamento. O Instituto dispunha de túneis que ligavam todos os prédios do *campus*, e sou imensamente grato à pessoa que os projetou.

O currículo era organizado segundo objetivos vocacionais. Havia um curso para quem pretendia se tornar pastor, outro para atuar como missionário, outro para trabalhar com música, outro para o ministério com jovens, e assim por diante. O Moody é uma instituição para quem está convencido de que deve se empenhar no ministério cristão. Evidentemente, escolhi o curso para pastor. Nos três anos seguintes, minha vida consistiu em participar de aulas voltadas ao preparo de rapazes para o pastorado. Estudei o Antigo e o Novo Testamento; depois, houve aulas mais específicas sobre cada um dos livros bíblicos. Aprendi grego e também hermenêutica e homilética. (Nunca tinha ouvido falar dessas palavras.) Na verdade, tive contato com muitas coisas de que nunca havia tido conhecimento. Seria insuficiente afirmar que minha mente e meu coração se expandiram muitíssimo no tempo em que estudei no Moody.

Foi no Instituto que eu soube da existência de cristãos não batistas. (Isso! Pode rir de mim!) Na pequena cidade de onde eu saíra, havia uma igreja metodista e uma presbiteriana, e eu também já tinha escutado sobre os pentecostais; porém, no meu entendimento, apenas os batistas eram realmente cristãos. No Moody, encontrei colegas de denominações que eu desconhecia por completo e percebi que a família cristã é muito maior do que eu imaginava. O que me causava verdadeiro espanto era o fato de, entre nós, parecer haver muito mais semelhanças do que diferenças. Todos nos submetíamos a Cristo como nosso Salvador e Senhor e queríamos seguir o plano dele para nós.

Também aprendi muito fora da sala de aula. A cada semestre, todo aluno do Moody era incumbido de algum tipo de assistência cristã. Semanalmente, nós nos espalhávamos por Chicago, atuando em diversos ministérios. Trabalhei em prisões, hospitais, clubes de lazer e socialização para meninos, missões de resgate, entre outras frentes. A ideia era fazer que os seminaristas experimentassem o ministério na prática em vez de dedicar-se apenas aos estudos em sala de aula. Ainda guardo vivas memórias daquelas oportunidades de servir na "vida real" e agradeço de todo o coração as marcas que elas deixaram em minha trajetória.

Uma recordação que sobressai é a de quando colaborei numa escola dominical vespertina para crianças que moravam no centro da cidade. Como alunos do Instituto, aos domingos nós andávamos pela vizinhança parando de casa em casa, juntando crianças com quem, então, caminhávamos até o local onde aconteciam as reuniões. Ali ensinávamos histórias da Bíblia e partilhávamos o que se podia extrair delas. Aos que já tinham idade suficiente para compreender, ensinávamos como Deus demonstrara seu imenso amor por nós dando-nos Jesus. Explicávamos as boas-novas mostrando que, por causa da morte e da ressurreição de Cristo, podemos nos tornar filhos de Deus e viver eternamente na companhia dele. Por vezes me pergunto o que terá acontecido a cada uma daquelas crianças.

Lembro-me da narrativa de Jesus acerca de um plantio de sementes. Parte delas caiu pelo caminho e foram pisoteadas; outras foram comidas por aves; outras caíram por entre rochas e espinhos. Mas algumas caíram em solo fértil e "produziram uma colheita cem vezes maior que a quantidade semeada" (Lc 8.8). Espero que algumas daquelas nossas sementes do evangelho tenham caído no "solo fértil" do coração de tais crianças. Apenas o céu revelará os frutos de nosso plantio. Do lado de cá, jamais conheceremos os resultados de nosso empenho em amar o próximo como Cristo nos amou; contudo, aprendi a entregar os resultados a Deus e a me alegrar no privilégio de semear em nome dele.

Foi no Moody que aprendi a ter um tempo diário de quietude com Deus, a sentar-me com a Bíblia em mãos e a pedir ao Senhor que levasse minha atenção ao que eu necessitava ouvir mediante sua Palavra. Desenvolvi o hábito de ler um capítulo da Bíblia a cada dia, ouvindo Deus e procurando aplicar as Escrituras à minha vida. Nada foi mais significativo para mim do que esse tempo diário com ele. Trata-se de uma prática que mantenho há anos. Sim, falo com Deus ao longo do dia, busco a sabedoria dele em tudo o que faço; mas, a meu ver, não há nada que substitua o período em que me aquieto na companhia do Senhor a cada manhã.

Outra lição que aprendi foi que o perdão não elimina todas as consequências do delito. Certa vez, um professor nos entregou uma prova e, na aula seguinte, devolveu-a pedindo que nos avaliássemos. Quando terminamos, ele repassou cada questão indicando qual era a resposta correta. Nossa tarefa era marcar todas as questões que tínhamos acertado e desconsiderar aquelas que tínhamos errado. Uma delas pedia que escrevêssemos de memória um versículo da Bíblia. Não recordo qual era o versículo, mas lembro que me equivoquei numa palavra — tinha escrito "este" quando o correto era "esse". O professor enfatizou que só deveríamos considerar a citação correta caso estivesse redigida exatamente como na Bíblia. Pensei: "Tanto faz dizer 'este' ou 'esse'! O versículo está certo".

Pouco depois, naquela mesma tarde, senti-me atormentado pelo fato de ter considerado certa uma resposta incorreta. Sem conseguir me livrar da culpa, decidi me ajoelhar ao lado da cama e, entre lágrimas, confessei a Deus que eu havia pecado. Levantei-me sabendo que tinha sido perdoado. Se há algo que a Bíblia ensina com muita clareza é que Deus perdoará todo aquele que confessar seu pecado e pedir perdão. Essa é a principal mensagem bíblica. Cristo cumpriu nossa sentença na cruz a fim de que Deus pudesse nos perdoar e, ainda assim, manter-se justo e santo.

Ciente de que estava perdoado por Deus, também compreendi que deveria confessar meu delito ao professor. O apóstolo Paulo afirmou procurar "sempre manter a consciência limpa diante de Deus e dos homens" (At 24.16). Eu tinha feito as pazes com Deus e agora precisava dar o próximo passo. Fui até o gabinete do professor e contei o ocorrido. Ele agradeceu o fato de eu me dispor a admitir minha falta e disse que realmente desejava me perdoar. E continuou:

— Bem, terei de levar isso ao comitê de ética e deixá-los decidir quanto ao que se deve fazer.

Tal afirmação me deixou desnorteado. Pensei: "O que isso tem a ver com o comitê de ética?". Obviamente, respondi:

— Tudo bem.

E me retirei.

Uma semana mais tarde, fui informado de que o comitê resolvera dar nota zero a toda a prova. Meu primeiro pensamento foi: "Isso é injusto. Acertei as coisas com Deus e com o professor. Por que razão o comitê quer me punir?". Debati-me com a pergunta: "Será que vale mesmo a pena ser honesto?". Precisei de alguns dias para lidar com minhas emoções, mas, enfim, percebi que o perdão não elimina todas as consequências do pecado. A Bíblia é repleta de exemplos disso. Acompanhe a trajetória do rei Davi, descrita no Antigo Testamento, e veja como essa realidade se manifestou na vida dele.

Nunca me esqueci dessa (dura) lição. Nos anos em que atuei como ministro de aconselhamento, consegui levar casais a perceberem que, quando falham um com o outro, marido e mulher precisam confessar suas falhas e perdoar-se mutuamente. Contudo, o perdão não invalida os efeitos da falha. Sim, uma mulher pode de fato perdoar o marido que se envolveu com outra pessoa, mas o perdão não restaura a confiança, nem elimina a dor do coração dessa esposa. A confiança precisa ser reconquistada progressivamente, à medida que o marido escolhe ser confiável. A cura emocional não apenas demanda tempo como também requer que o marido tenha a sensatez de não dizer que a mulher precisa "superar" o que aconteceu.

> Quando Deus diz: "Não faça isso", ele o faz por amor.

Essa lição, aprendida à época em que eu era um jovem seminarista, me foi muito útil. Ela deixou bem claro que, quando Deus diz: "Não faça isso", ele o faz por amor. Quando diz: "Faça isso", ele também tem em mente nosso bem-estar. Todas as palavras de Deus para nós derivam de seu amor. Alguns cristãos pensam que pecado não é algo sério e defendem que basta pedir a Deus que nos perdoe e tudo ficará bem. O que não levam em conta é que o pecado sempre tem consequências negativas — ele nunca nos favorece.

Aprendi outra lição ao percorrer a Rua Dearborn, em Chicago. Eu trabalhava à tarde no Merchandise Mart, um prédio grande não muito longe do *campus*, e o trajeto era permeado de sedutoras fotos femininas; além disso, aqui e ali havia mulheres à janela de suas casas, convidando homens a que entrassem. Em vista dos impetuosos hormônios juvenis, eu lutava contra a tentação. Uma noite, clamei a Deus dizendo:

"Por favor, livra-me dessa tentação". Imediatamente me recordei de um versículo das Escrituras que havia memorizado:

> As tentações em sua vida não são diferentes daquelas que outros enfrentaram. Deus é fiel, e ele não permitirá tentações maiores do que vocês podem suportar. Quando forem tentados, ele mostrará uma saída para que consigam resistir.
>
> 1Coríntios 10.13

Respondi: "Ó Deus, mostra-me uma saída". De pronto tive uma ideia que jamais me ocorrera: "Vá pela Wells Street em vez de seguir pela Dearborn". Naquela época, a Wells Street era ladeada por paredes de tijolos brancos que abrigavam prédios antigos e decadentes — não havia nada de tentador naquilo. Assim, mudei o percurso que fazia até o trabalho. Eu literalmente descobri "uma saída para conseguir resistir".

Enfatizo que essa é uma lição da qual nunca me esqueci. Sempre há um meio de escapar da tentação; é responsabilidade nossa pedir a Deus que nos mostre como agir. Ele é habilidoso em mostrar a seu povo a direção correta. Pelo poder divino, podemos resistir ao diabo, que então fugirá de nós (Tg 4.7). "O Espírito que está em vocês é maior que o espírito que está no mundo" (1Jo 4.4).

Concluído meu primeiro ano no Instituto Moody, fui passar o verão em casa, período em que trabalhei no terceiro turno da tecelagem (das onze da noite às sete da manhã). Talvez você se lembre de que esse era o mesmo turno do expediente de meu pai; portanto, nós dois trabalhávamos toda a noite e dormíamos durante o dia. Isso me deu uma noção do que papai suportara ao longo dos anos e aumentou meu apreço pelo que ele representa para mim.

# Lições que aprendi nas montanhas do Tennessee

No segundo verão fora do Instituto, decidi trabalhar num posto de combustível em Chicago, mas depois de três semanas naquele emprego senti um enorme desejo de fazer algo mais significativo. Então, procurei o setor de estágios do Instituto e perguntei se conheciam organizações cristãs à procura de colaboradores para a temporada. Eles me recomendaram ao Acampamento Bíblico Cedine, sediado nas montanhas do estado do Tennessee. Era um acampamento voltado a jovens afro-americanos frequentadores de um curso bíblico cujas aulas ocorriam no contraturno escolar durante o período letivo; nas férias, os jovens podiam passar uma semana ali. Pouco depois, eu já estava num ônibus que ia de Chicago ao Tennessee. Nunca vou me esquecer daquele verão.

Eu era o único branco na função de conselheiro num acampamento de negros. E uma experiência se destaca em minha memória: fazia poucas semanas que eu estava ali quando um dos jovens, J. C. Upton, veio até mim e disse:

— Agora que me tornei cristão, creio que preciso lidar com algumas coisas do passado. Há poucos anos, roubei coisas de uma quitanda. Dois dos rapazes que estavam comigo foram presos, mas eu me safei. Acho que devo procurar o proprietário, confessar o que fiz e buscar corrigir isso. Você pode vir comigo?

Fiquei atônito.

— Você sabe que isso pode resultar na sua prisão, certo?

— Eu sei, mas preciso lidar com essa situação.

Como eu não tinha um carro, comentei com J. C.:

— Vamos falar com o diretor do acampamento e ver o que ele acha. Se ele confirmar que é isso o que você deve fazer e topar nos emprestar o carro, eu vou com você.

O diretor respondeu que aquele era mesmo o passo a ser dado por quem segue a Cristo e afirmou que nos emprestaria o carro com o maior prazer.

No trajeto pelas montanhas, houve bastante silêncio. Ambos estávamos cientes de que nenhum de nós imaginava qual seria o resultado daquilo. Como J. C. sabia onde ficava a casa do comerciante, fomos direto para lá. Uma vez na varanda, tocamos a campainha. Então, um senhor branco abriu a porta e se postou atrás de outra, mais externa, feita de tela. J. C. começou a falar:

— Meu nome é J. C. Upton. Eu me tornei cristão no Acampamento Bíblico Cedine e estou revendo alguns erros que cometi no passado. O senhor deve lembrar que, há alguns anos, uns rapazes roubaram coisas de sua loja. Eu estava com eles e também peguei uns itens, mas nunca fui preso. Agora que sou cristão, vim me confessar e me dispor a fazer qualquer coisa que o senhor ache necessário para corrigir aquilo.

O dono da quitanda olhou para mim e perguntou:

— Quem é você?

— Sou conselheiro no acampamento bíblico, e J. C. me pediu que o trouxesse aqui para falar com o senhor. Nós conversamos com o diretor do acampamento, e ele nos emprestou o carro.

No mesmo instante, aquele senhor abriu a porta de tela e se juntou a nós na varanda. Estendendo a mão na direção de J. C., disse:

— Também sou cristão. Quero aplaudi-lo por vir até mim e confessar seu crime. Foi bem corajoso de sua parte fazer isso. Uma vez que Deus me perdoou, quero perdoar você.

O dono da quitanda abraçou J. C. e eles choraram juntos. Eu também chorei. Em seguida, o comerciante colocou uma das mãos no ombro de J. C. e orou agradecendo o fato de o jovem haver aceitado a Cristo. Agradeceu, ainda, a existência do Acampamento Bíblico Cedine e orou para que Deus guiasse a vida de J. C. Depois de conversar mais um pouco com o comerciante, retornamos ao acampamento. (A propósito, a oração daquele senhor foi atendida: após um tempo, J. C. serviu como missionário na Nova Guiné; além disso, foi professor e pastor no estado do Tennessee durante muitos anos.)

Naquela noite, aprendi como é o verdadeiro perdão: ele remove barreiras e oferece misericórdia e graça em vez da merecida punição. Isso é exatamente o que Deus faz por nós. Ele perdoa nossos pecados e não nos condena pelas transgressões que cometemos. Essa é a mensagem que J. C. vem pregando todos estes anos. Esse é o evangelho.

Os três anos que passei no Instituto Bíblico Moody foram muito marcantes. Serei sempre grato a Deus por me conduzir até o seminário fundado por D. L. Moody.

Enquanto estudava para ser pastor, também fiz cursos sobre missões e tomei conhecimento das necessidades mais pungentes ao redor do mundo. Ouvi missionários discursarem na capela e frequentei a reunião de oração que ocorria nas noites de sábado na casa de Arthur Matthews, que servira como missionário na China. Cantávamos composições do hinário do ministério universitário InterVarsity Christian Fellowship e ouvíamos relatos acerca de diversos países; também orávamos pelos irmãos que serviam nesses locais. Meu interesse por missões era crescente e, no último ano de Instituto, servi como presidente da União Missionária, organização estudantil cujo foco são missões internacionais.

Quando me formei no Moody, tinha convicção de que Deus me conduzia ao campo missionário. Ponderei: "Por que eu deveria permanecer nos Estados Unidos se 95% da população mundial está em outros países e a vasta maioria dos cristãos dedicados ao ministério em tempo integral vive e atua aqui?". Pareceu-me evidente que, a despeito do meu medo de cobras, as missões eram o caminho de Deus para mim.

# Explorando a antropologia: Faculdade Wheaton

Na época em que estudei no Instituto Bíblico Moody, o curso durava três anos e, ao terminá-lo, não recebíamos um diploma de graduação. (Sim, hoje oferecem cursos de graduação, pós-graduação e seminário.) Eu soube que a Faculdade Wheaton reconhecia créditos do Moody e, com isso, num intervalo de dois anos, eu conseguiria concluir a graduação. Então, fiz minha inscrição em Wheaton e fui aceito. Eu não tinha nenhuma dúvida de que me graduaria em antropologia cultural, a formação perfeita para o trabalho em outros países. Tempos depois, descobri que essa também foi a escolha de Billy Graham quando estudou em Wheaton.

Os dois anos que passei ali foram muito significativos. O primeiro foi abarrotado de estudos e trabalho, visto que eu tinha um emprego de meio-período como faxineiro numa escola de ensino médio próxima da faculdade. Toda tarde, eu esvaziava lixeiras, varria o chão e limpava os banheiros. Depois disso, voltava para o *campus* e estudava noite adentro. Não restava muito tempo para a vida social. Contudo, por diversas vezes almocei ou jantei com o irmão de Elisabeth Elliot, Tom, que também era aluno de Wheaton. Isso ocorreu poucos anos antes de Jim, marido de Elisabeth, e seus parceiros de missão serem assassinados pelos indígenas Auca (hoje Waorani) no Equador. Tom me manteve a par da iniciativa de Elisabeth de ir até os Auca para partilhar com eles a razão de Jim e seus companheiros haverem tentado alcançar a tribo. Para mim, um aspirante a missionário, foi impressionante ouvir sobre tudo isso. Mais tarde, Elisabeth escreveu os livros *Através dos portais do esplendor* e *A sombra do Todo-poderoso*, os quais registram a obra da mão de Deus nessa história.

Meu segundo ano em Wheaton foi bem diferente disso. Morei com outros três estudantes na casa de Jim e Donna Murk. Jim era representante extraoficial do ministério Navegadores [Navigators]. Embora fosse professor-adjunto em Wheaton, o que de fato movia seu coração era o discipulado de jovens rapazes. Ele estava decidido a atuar no campo missionário até que, por influência de Dawson Trotman (fundador dos Navegadores e alguém que teve enorme relevância na vida de Jim), acreditou que seria mais útil para Deus caso optasse por treinar moços a seguirem inteiramente a Cristo. Assim, Jim e Donna abriram a casa para nós quatro, tornando-nos parte da família. Todos participávamos das tarefas domésticas, que incluíam lavar a louça, passar aspirador no chão, aparar a grama, lavar os carros e ajudar com os cinco filhos do casal. A proposta era aprender a fazer todas as coisas como para Cristo.

Todo sábado à noite, Jim e Donna abriam a casa para um estudo bíblico frequentado por outros estudantes de Wheaton. Abordávamos os tópicos do Programa de Discipulado dos Navegadores, aprendíamos como aplicar a Bíblia à vida e memorizávamos as Escrituras de acordo com um método baseado em temas. Jim dedicava parte de seu tempo a cada um dos rapazes que viviam em sua casa. Estar ali me deu um exemplo vívido de como era uma família cristã. Cada um dos cinco filhos do casal aprendeu a tocar um instrumento musical, e às vezes a casa até parecia um conservatório! Talvez algum leitor já saiba disso, mas, poucos anos mais tarde, estando as crianças já crescidas, a família se juntou numa viagem sob o nome de Murk Family Singers [Família de Cantores Murk], período no qual tocaram e cantaram em diversas igrejas e casas de espetáculos dos Estados Unidos. Sou muitíssimo grato a Jim e Donna por abrirem sua casa e seu coração a nós, quatro jovens estudantes universitários. A ênfase que esse casal dava ao discipulado moldou de forma marcante minha vida e meu ministério.

Quando era aluno de Wheaton, eu passava os domingos em Chicago, no Centro Masculino de Culto Cristão. Ao norte da cidade, ficava a Base Naval dos Grandes Lagos, principal centro de treinamento de novos recrutas da Marinha. Depois de várias semanas de treinamento, aqueles jovens podiam sair para seu primeiro fim de semana "livre", quando a maioria pegava o trem rumo à cidade propriamente dita. No templo eram oferecidos café, lanches e almoço gratuitos, por isso os recrutas lotavam o local. Passávamos tempo jogando pingue-pongue, tomando café e conversando. Eu não era fã de café, mas, depois de adicionar bastante açúcar e chantili, dava um jeito de bebericar um pouco também.

Foi nessa época que o comentário de Paulo acerca de nos tornarmos "tudo para com todos" fez sentido para mim. Tive a oportunidade de compartilhar Cristo com vários jovens marinheiros, e parte da "semente" caiu em bom solo. Pensei sobre o período em que meu pai esteve na Marinha, muitos anos antes, e tive a sensação de entrar um pouco naquele mundo, ainda que eu nunca tivesse prestado o serviço militar. Anos mais tarde, eu viria a falar em muitas bases militares e escreveria uma versão do livro *As 5 linguagens do amor* dirigido especialmente aos militares. Tenho profundo apreço por aqueles que servem ao país no meio militar; meu coração tem empatia por eles. Oro em favor deles segundo as Escrituras nos orientam (ver Rm 13).

As aulas em Wheaton seguiram abrindo meus olhos às necessidades do mundo. Os estudos em antropologia me levaram a investigar mais a fundo as culturas iletradas: como esses povos se organizavam e qual era o papel da religião na vida deles. Também tive o privilégio de fazer um curso sobre a vida de C. S. Lewis ministrado pelo Dr. Clyde Kilby, professor de Wheaton e especialista na biografia e bibliografia desse autor. Wheaton é a faculdade americana onde há o maior acervo de livros e objetos pertencentes a C. S. Lewis. O fato de eu ter sido exposto a quem foi Lewis abriu um novo universo em minha mentalidade forjada numa pequena cidade da Carolina do Norte.

A impressão que tenho é que os dois anos em que estive na Faculdade Wheaton passaram voando, mas minha mente e minha visão de mundo expandiram muito nesse período. Lembro-me com carinho do Dr. V. Raymond Edman, presidente da faculdade à época, cujos discursos na capela sempre me atraíram. Hoje, é um prazer ver meu neto, Elliott McGuirt, estudando em Wheaton; oro para que ele tenha ali uma experiência tão positiva quanto a minha. O lema da faculdade, "Por Cristo e seu reino", ainda está impresso em meu coração e minha mente tal qual é exibido numa das paredes laterais do *campus*.

# Lições que aprendi em Colorado Springs

Depois de me formar em Wheaton, em 1960 (na centésima turma), fui para o oeste, para o Colorado, mais especificamente Colorado Springs, com objetivo de participar do Programa de Treinamento de Verão dos Navegadores — uma temporada que mudaria minha vida em definitivo. Em linhas gerais, o verão se resumia nisto: cada participante trabalhava oito horas por dia, acompanhava um estudo bíblico semanal, tinha um mentor pessoal e, em algumas noites, frequentava conferências. O cenário era Glen Eyrie, construção semelhante a um castelo datada de 1871. O local é cercado por um "fosso" seco e por belos campos que ladeiam o parque Jardim dos Deuses; também é um dos lugares mais bonitos e tranquilos em que já estive.

Foi ali que aprendi uma das maiores lições da vida, trabalhando na gráfica onde se produzia todo o material impresso distribuído pelos Navegadores. Fiquei encarregado de operar uma imensa dobradeira que, uma vez alimentada por folhas de papel quadradas medindo aproximadamente um metro de lado, dobrava-as diversas vezes até que ficassem do tamanho de um caderninho de notas. Recém-formado na faculdade, assumi uma postura do tipo "deixa comigo". Na primeira manhã, recebi instruções básicas de como a dobradeira funcionava; o importante era aplicar pressão correta a cada uma das hastes.

Porém, ao final de um dia inteiro de trabalho, eu ainda não conseguia fazer as dobras corretamente.

Na manhã seguinte, recebi mais uma rodada de orientações e, de novo, trabalhei o dia todo sem alcançar êxito. Comecei a me sentir um tanto envergonhado, afinal era alguém com diploma universitário, então deveria ser capaz de fazer aquilo. No outro dia, mais instruções — e o mesmo resultado. Foi assim por quatro dias. Na sexta-feira cedo, durante meu tempo de quietude com Deus, numa grande rocha localizada no fosso seco, li o Evangelho de João, capítulo 15 e versículo 5, em que Jesus diz: "Eu sou a videira; vocês são os ramos. Quem permanece em mim, e eu nele, produz muito fruto. Pois, sem mim, vocês não podem fazer coisa alguma". A última frase me atingiu como uma tonelada de tijolos, e comecei a chorar copiosamente. Eu disse: "Ó Deus, sem ti não posso sequer operar uma simples máquina de dobrar papel". E continuei: "Por favor, dá-me habilidade para usar essa máquina. Não consigo fazer isso sem tua ajuda".

Depois de chorar um pouco mais, sequei os olhos e fui até a gráfica. A dobradeira funcionou de forma perfeita, não só naquele dia como por todo o restante do verão.

Nunca me esqueci dessa lição. Estou totalmente convencido de que, sem Deus, não posso fazer coisa alguma. Ele é o autor e sustentador da minha vida. Tudo o que sou se deve à misericórdia e à graça dele. De fato, Deus é "a videira", e eu sou um ramo que, separado dele, não consegue sobreviver. Felizmente aprendi essa lição ainda moço, pois, do contrário, poderia ser tentado a requerer os créditos por todas as coisas boas que aconteceram comigo. Não haveria "eu" sem "ele".

# Explorando a teologia: Seminários Batistas do Sudeste e do Sudoeste dos Estados Unidos

Uma vez graduado em Wheaton, dei-me conta de que o próximo passo seria o seminário. Em meu coração, eu tinha o forte desejo de estudar no Seminário Batista Teológico do Sudoeste. (Lembre-se de que eu pertencia a uma igreja da Convenção Batista do Sul.) No fim das contas, planejei servir ao Comitê de Missões Internacionais da Convenção e, portanto, resolvi que deveria frequentar uma instituição batista vinculada a ela. Contudo, em vez de me matricular no Seminário do Sudoeste, optei pelo Seminário do Sudeste, situado em Wake Forest, na Carolina do Norte. E essa escolha teve um motivo singular — um motivo chamado Karolyn, mas falarei mais sobre isso adiante.

Dada a reputação do Seminário do Sudeste, eu o considerava teologicamente mais liberal que o Seminário do Sudoeste. (Quanto à atual reputação do primeiro, devo deixar claro que hoje ele é bastante conservador.) Mas as coisas eram diferentes nos anos 1960. Na primeira entrevista com meu conselheiro estudantil, ouvi isto:

— Imagino que você saiba que a teologia aqui é bem diferente daquela dos círculos por onde tem andado.

— Sim, sei disso — respondi. — Visitei o *campus* no ano passado e assisti a uma aula cujo tema era "Por que Paulo não escreveu Efésios". Sei que aqui a teologia é outra.

— Bem, espero que esteja aberto ao aprendizado no tempo que passar conosco.

— Certamente é o que planejo fazer.

Depois de nos cumprimentarmos com um aperto de mãos, saí de seu gabinete.

Foi assim que começou minha jornada de um ano no Seminário do Sudeste. Optei por cursar todo o currículo do primeiro ano para o mestrado em Divindade, o que, basicamente, correspondia a uma retomada dos conteúdos estudados no curso do Moody para pastores, mas sob uma perspectiva teológica distinta.

A atmosfera do *campus* era diferente de tudo o que eu havia vivenciado. A cafeteria era enevoada por fumaça de cigarro, pois muitos dos alunos fumavam depois de almoçar ou jantar. Alguns tinham cerveja e licor na geladeira do quarto onde dormiam. As conversas no centro de estudos incluíam gírias e palavrões que eu não estava acostumado a ouvir. Realmente me senti como se estivesse num *campus* universitário secular, e não num seminário cristão.

Em sala de aula, a abordagem teológica era essencialmente barthiana. Karl Barth, professor suíço de tradição reformada e autor prolífico, foi, possivelmente, o teólogo mais influente de seu tempo. Barth recebeu amplo treinamento no liberalismo alemão, que não via a Bíblia como fonte ou revelação de Deus para o homem, mas mais como um produto das ideias humanas acerca de Deus. Esse liberalismo foi a perspectiva predominante em muitos seminários nos Estados Unidos e também na Europa. Barth, porém, acreditava que existia um Deus transcendente que se revelara de maneira suprema em Jesus Cristo. Esse teólogo via a Bíblia como registro humano da revelação divina, mas não equiparava as Escrituras à "Palavra de Deus". Barth entendia que Deus podia falar a um indivíduo por meio da Bíblia, e nesse sentido ela se *tornava* a Palavra de Deus para tal pessoa. Por essa razão, sua abordagem foi chamada de "teologia da Palavra", e "neo-ortodoxia" foi o rótulo dado a essa escola de pensamento. A ideia é a de que a Bíblia "se torna" a Palavra de Deus quando o experimentamos falando conosco por meio dela. A precisão histórica da Bíblia não é importante; o que importa é seu significado espiritual. Como alunos, éramos desafiados a procurar lições que pudessem ser aprendidas com base nas histórias bíblicas.

Meu professor de Antigo Testamento foi exceção: suas aulas eram um sopro de ar fresco. Ele ensinava as Escrituras considerando-a a Palavra de Deus autêntica, divinamente inspirada. Ela não "se tornava" a Palavra de Deus; ela era a Palavra de Deus. Eu aguardava com avidez as aulas dele.

Ao final do primeiro ano, eu me inscrevi e fui aceito no Seminário Teológico Batista do Sudoeste. Quando soube da minha transferência, meu conselheiro estudantil me convidou a ir até seu gabinete.

— Vi que está indo para o Seminário do Sudoeste. Gostaria de saber o porquê.

— Você deve estar lembrado da conversa que tivemos quando me matriculei. Você me disse que o ambiente teológico daqui era diferente daquele dos círculos pelos quais eu havia andado. É verdade. Por exemplo, meu professor de Introdução à Bíblia disse: "Não importa se Jesus de fato saiu ou não do túmulo. O importante é que ele é a ressurreição e a vida". Teologia barthiana pura. A história não vem ao caso; busca-se apenas o significado religioso das narrativas bíblicas.

E continuei:

— Essa tem sido a abordagem teológica na maioria das aulas, apresentada como a nova teologia, e afirma-se que aqueles que não acreditam nela não passam de pessoas incultas. Não concordo com isso. No Moody, fomos expostos às visões conservadora, liberal e neo-ortodoxa. O professor era conservador e nos dava as razões disso, mas tivemos contato com várias perspectivas. Para mim, isso é que é educação. Aqui, ouvi apenas um ponto de vista, apresentado como "a verdade". A meu ver, isso está mais para doutrinação do que para educação.

A resposta do meu conselheiro foi esta:

— Não temos tempo para ensinar tudo. Entendemos que a maioria dos alunos aprendeu a visão conservadora na escola dominical. A visão liberal está em declínio hoje, e a neo-ortodoxia é a abordagem teológica mais atual e mais amplamente aceita. Queremos que nossos alunos estejam a par das tendências teológicas mais modernas.

Essa era a lógica no Seminário do Sudeste nos anos 1960. E eu sabia que não se tratava de uma teologia sólida à qual pudesse dedicar a vida. (Muitos de meus leitores sabem que, poucos anos mais tarde, houve um renascimento conservador entre os batistas da Convenção do Sul, e, hoje, o Seminário do Sudeste tem uma visão teológica bastante conservadora.)

No outono seguinte, ao chegar ao Seminário Teológico Batista do Sudoeste, em Fort Worth, no Texas, ingressei num mundo totalmente distinto. Os dois seminários se diferenciavam tanto que era difícil acreditar que ambos correspondiam à mesma denominação. Lembro-me da primeira quarta-feira em que fiquei estudando na biblioteca. Às cinco da tarde, as luzes se apagaram, e os alunos começaram a deixar o local. Perguntei a um colega:

— O que está acontecendo?

— Ah, a biblioteca fecha às cinco nas quartas-feiras a fim de que os alunos possam ir à igreja — respondeu ele.

Descobri que, toda quarta-feira à noite, havia atividades nas igrejas e que os alunos eram fortemente envolvidos com as congregações locais. As coisas eram diferentes no Texas.

No Seminário do Sudeste, eu havia notado que o programa de mestrado em Divindade consistia, essencialmente, no mesmo percurso acadêmico que eu seguira no curso para pastores oferecido no Instituto Bíblico Moody. Então, decidi me dedicar ao mestrado em Educação Cristã. Olhando em retrospecto, essa foi uma sábia decisão. No programa de Educação Cristã, estudei como construir um projeto de educação de adultos na igreja local e como engajar homens e mulheres na aplicação das Escrituras à própria vida, ou seja, como fazer discípulos de Cristo que buscassem viver como embaixadores dele no mundo. Além disso, participei de todos os cursos de aconselhamento disponíveis. Naquela época, eu não fazia a menor ideia de que muito da minha vida se destinaria ao aconselhamento de casais. Deus tem seu modo de nos preparar para funções que jamais imaginamos exercer.

Quando seminaristas, Karolyn e eu frequentávamos a Igreja Batista Sagamore Hill. Nosso casamento ocorreu duas semanas antes de iniciarmos o seminário. (Detalharei isso mais à frente.) Ela estava ativamente envolvida no ministério coral sob a direção de Gerald Ray. O pastorado era exercido por Fred Swank, que ocupava essa função havia trinta anos. No primeiro domingo em que fomos a essa igreja, notei algo que nunca tinha visto e jamais tornei a ver. Toda a seção intermediária do templo era ocupada por jovens estudantes. Primeiro, mais à frente, vinham os do sexto ano; depois os do sétimo, do oitavo, do nono; então, os do primeiro, do segundo e do terceiro do ensino médio, nessa ordem. Eram quinhentos no total. Sim, os números eram grandes no Texas.

Nas primeiras semanas, frequentamos a turma de adultos da escola dominical. Em certo sentido, a impressão que ficou era a de que não deveríamos estar numa classe para "adultos", pois não nos víamos como tal. Então, nós nos voluntariamos para dar aulas no departamento estudantil. Gostávamos muito de trabalhar com estudantes porque éramos dois deles. Essa experiência serviu de prenúncio para uma porção significativa do meu ministério muitos anos depois.

> Eu pregava aos domingos pela manhã e à noite e também nas noites de quarta-feira. Foi um verdadeiro batismo de fogo, mas me apaixonei por aquilo.

Consegui terminar o mestrado em Educação Cristã em um ano e meio, visto que já havia concluído um ano letivo no Seminário do Sudeste. À época, estávamos convencidos a ir para o campo missionário. Antes de nos enviar para fora dos Estados Unidos, o Comitê de Missões Internacionais da Convenção Batista do Sul exigiu que completássemos dois anos de ministério vocacional em tempo integral no país. Assim, achamos por bem retornar à Carolina do Norte e servir ali, aproveitando para passar aquele período junto de nossa família.

Fui convidado a pastorear a Igreja Batista Emmanuel, em Salisbury, na Carolina do Norte, em 1963. Foram dois anos maravilhosos. A igreja contava com cerca de cem membros ativos, a quem amávamos e por quem éramos amados. Eu era o único integrante da equipe pastoral. Em razão de morarmos bem ao lado da igreja, na residência paroquial, era eu quem fechava e abria o prédio, imprimia boletins, visitava hospitais, fazia o casamento de jovens noivos e sepultava os mortos. Eu pregava aos domingos pela manhã e à noite e também nas noites de quarta-feira. Foi um verdadeiro batismo de fogo, mas me apaixonei por aquilo.

Passados dois anos, procuramos o Comitê e apresentamos nossa intenção de treinar pessoas naturais de outros países para atuarem localmente como missionários. Do meu ponto de vista, esse era o modo de impactar uma nação — treinando líderes locais que pudessem alcançar seu próprio povo. O delegado do Comitê alegou que o mais provável era que essa abordagem funcionasse melhor em faculdades ou seminários locais. E completou: "Seria realmente vantajoso se você tivesse um diploma de PhD para isso". Essa era uma ideia que não havíamos cogitado. Mas, depois de orar e avaliar a situação, compreendemos a utilidade dessa formação. Eu me demiti da igreja, e voltamos ao Texas para cursar um programa de PhD no Seminário Teológico Batista do Sudoeste.

Nos primeiros meses, de domingo a domingo pensei nos irmãos da Igreja Batista Emmanuel. Senti muita falta deles. Em segredo, questionei-me quanto à possibilidade de obter permissão de voltar para casa aos sábados e pregar para aqueles irmãos nos domingos. Como eu sabia que estava sendo irrealista, essa ideia foi se apagando em minha mente. Voltamos para a Igreja Batista em Sagamore Hill e reencontramos nossos irmãos texanos. Karolyn conseguiu um emprego de meio-período como assistente administrativa de um dos professores do seminário, e eu trabalhei limpando banheiros de fábricas do conglomerado West Chemical Company, num raio de oitenta quilômetros distantes de Fort Worth. Senti-me muito semelhante a Jesus, que lavou os pés de seus discípulos. Ele lavava pés. Eu limpava banheiros. Essa foi a melhor comparação que consegui fazer. De fato, era o emprego perfeito, pois eu podia escolher os dias em que trabalhava, conforme os compromissos no seminário. Portanto, além de me ensinar humildade, aquele trabalho me dava condições de conquistar meu diploma.

No verão, voltávamos para a Carolina do Norte a fim de encontrar nossos familiares. Numa dessas temporadas, frequentei cursos na Universidade Duke e, em outra, assisti a aulas na Universidade da Carolina do Norte, no *campus* de Greensboro. A participação nesses cursos e aulas era convertida em créditos para o seminário. Assim, eu podia avançar nos estudos e passar um tempo com a família. Em parte, o que nos motivava a passar os verões na Carolina do Norte era que isso antecipava nossa ida à Nigéria, onde, sob a tutela do Comitê Internacional de Missões, daríamos aula para seminaristas. Nossa intenção era dedicar o maior tempo possível à família antes de deixar o país.

Três anos ficaram para trás muito rapidamente e, em 1967, obtive o grau de PhD no Seminário do Sudoeste. Estávamos, portanto, a caminho da Nigéria. (Há outra graduação em meu histórico acadêmico, mas falarei sobre isso adiante.)

Quando olho em retrospecto para meus estudos, sempre me lembro das perguntas de meu pai. Ao final de cada curso, ele me dizia: "Agora você vai conseguir um bom emprego, não é?". Estou certo de que, tendo encerrado os estudos ao concluir o oitavo ano, meu pai tinha dificuldade para entender por que alguém estudava até os 27 anos. Embora papai e mamãe nunca tenham sustentado financeiramente minha jornada acadêmica, sei que me amavam e validavam meu propósito de seguir os planos de Deus para mim.

Creio que os planos divinos incluíam uma longa trajetória de estudos, e cada passo dessa jornada foi significativo para que eu me tornasse quem sou. Foi bom não ter conhecido todo o caminho de antemão; acho que me sentiria sobrecarregado. Caminhei um passo por vez. Quando fui para o Instituto Bíblico Moody, eu nunca tinha ouvido falar na Faculdade Wheaton. Quando me formei no ensino médio, "antropologia" não era uma palavra do meu vocabulário. Eu sabia da possibilidade de um dia cursar o seminário, mas nunca passou pela minha cabeça ter um diploma de PhD. Até mesmo na fase de vida em que me encontro hoje, aprecio o fato de Deus não me mostrar o que virá pela frente. Sou plenamente feliz por viver um dia de cada vez, confiando que o Senhor é quem me direciona.

> Até mesmo na fase de vida em que me encontro hoje, aprecio o fato de Deus não me mostrar o que virá pela frente. Sou plenamente feliz por viver um dia de cada vez, confiando que o Senhor é quem me direciona.

Se você está iniciando na caminhada com Deus, permita-me encorajá-lo a dar um passo por vez. Seja fiel aí onde está. Dedique total atenção às responsabilidades e às oportunidades que você tem hoje. Como minha esposa costuma dizer: "Onde quer que esteja, esteja por inteiro!". Deus tem um plano para sua vida. Você não precisa conhecer todo esse plano, apenas o próximo passo. Talvez você esteja só começando sua jornada acadêmica. Comprometa-se com os estudos e peça a Deus que lhe mostre oportunidades de servir aos outros enquanto você cresce em conhecimento. Aproveite ao máximo o ensino médio; se Deus tiver planos de que você prossiga nos estudos, ele lhe revelará o próximo passo. Nem sempre nossos intentos são os dele — e isso foi absolutamente verdadeiro no meu caso. Lembre-se da importância dos pequenos começos. Ao terminar o seminário, jovens pastores se queixam a mim dizendo:

— A igreja só tem cinquenta membros; eu desejava algo mais expressivo.

Então eu os faço recordar:

— Jesus tinha apenas doze, e vejam só o que aconteceu!

## O QUE APRENDI COM OS ESTUDOS

1. Que a família de Deus é bem maior do que eu podia imaginar.
2. Que a vocação para o serviço cristão abrange muito mais que ser pastor ou missionário.
3. Que estudar demanda disciplina.
4. Que a educação acontece dentro e fora da sala de aula.
5. Que conquistas acadêmicas não servem de métrica para o sucesso na vida.
6. Que sem Deus não posso fazer nada.

SEÇÃO TRÊS

# LIÇÕES QUE APRENDI NO CASAMENTO

1961-Dias atuais

# A jornada que resultou no casamento

O casamento me moldou de forma tremenda. O nome dela é Karolyn e, embora não tenhamos estudado na mesma escola no ensino médio, crescemos frequentando a mesma igreja. Até onde me recordo, conheço Karolyn desde sempre. No ensino médio, namorei a melhor amiga dela, com quem cheguei a sair na companhia de Karolyn e seu namorado. Naquela época, não passava pela minha cabeça que Karolyn e eu acabaríamos juntos.

Cerca de um mês e meio depois de iniciar meu primeiro ano de estudos no Instituto Bíblico Moody, recebi de minha namorada uma carta do tipo "Veja bem...". Ela escreveu: "Chicago fica muito longe da Carolina do Norte. Penso que devemos romper e seguir cada um com sua vida". Fiquei arrasado. Estava muito "apaixonado" por ela, e aquilo me fez sentir totalmente rejeitado. Chorei e implorei para que Deus a fizesse mudar de opinião. (Hoje, agradeço a ele por não ter respondido a tal oração.) Na tola tentativa de ajudar Deus, escrevi uma carta em que expliquei meu ponto de vista acerca de nosso namoro e pedi à moça que reconsiderasse, mas foi em vão. Estava tudo acabado!

Fiquei tão atormentado com essa reviravolta que tive dificuldade para me concentrar nos estudos. Lembro-me de ajoelhar ao lado de minha cama e orar: "Deus, vim aqui para estudar, mas estou passando por um período muito difícil. Tu sabes o que aconteceu, e preciso de tua ajuda. Não posso continuar assim; por isso, peço que me concedas paz. Faze que eu aceite a realidade e que eu siga em frente concentrado no propósito pelo qual me trouxeste aqui".

Isso mudou tudo. Parei de mirar o que havia ficado para trás e comecei a olhar adiante, para o que o futuro me reservava.

E foi então que as palavras de Jesus "Venham a mim todos vocês que estão cansados e sobrecarregados, e eu lhes darei descanso" (Mt 11.28) fizeram sentido para mim. Voltei o coração para Deus, em quem descansei. Os estudos, o trabalho em meio-período e as oportunidades no ministério se tornaram o foco da minha vida nos três anos seguintes.

Em meu último ano no Moody, voltei à Carolina do Norte para o feriado de Páscoa. Numa manhã de domingo, na igreja, avistei Karolyn. De imediato, pensei: "Uau! Como é que não reparei nela?". Tivemos uma longa conversa depois do culto, e descobri que ela estava trabalhando como telefonista em Greensboro. (Os empregos eram diferentes nos anos 1950.) Também soube que ela não estava namorando ninguém e mal pude esperar para voltar à igreja à noite.

De imediato, pensei: "Uau! Como é que não reparei nela?".

À noite, na saída do templo, logo perguntei se podia levá-la até a casa dela.

— Estou com a minha mãe — foi a resposta.

— Levo sua mãe também — devolvi.

Eu sabia que elas não tinham carro, mas Karolyn disse bem friamente:

— A gente vai a pé.

Fiquei me perguntando: "Como ela pôde ser tão afetuosa e amigável pela manhã e estar tão fria agora à noite?". Assim, esperei o tempo de ela chegar em casa, dirigi até lá e bati à porta.

— Só passei para saber se podemos conversar.

Karolyn me convidou para entrar e falamos por três horas, nas quais descobri por que ela se mostrara tão seca.

Naquela tarde, Karolyn havia conversado com sua melhor amiga (minha ex-namorada), que lhe pediu que se afastasse de mim, pois ainda me "amava". Incrédulo, balancei a cabeça. Havia três anos que eu não via minha ex nem ouvia falar dela. Como é que ela poderia me "amar"? Afirmei: "A decisão é sua, mas saiba que não vou reatar com ela. Ela já arruinou meu coração uma vez, e isso não vai acontecer de novo". Então, continuamos ali, colocando a conversa em dia. Descobri que Karolyn cogitava ingressar na faculdade. Fazia dois anos que ela vinha trabalhando, guardando dinheiro e tentando decidir qual seria o próximo passo. Fascinado ao ouvir que ela pensava em cursar uma faculdade cristã, pensei: "Talvez haja um futuro para nós dois". Não posso afirmar que ela pensou a mesma coisa, mas das minhas ideias eu sabia bem.

Assim teve início nosso relacionamento mediado por cartas, o que durou três anos. Isso foi antes de haver computadores, e não podíamos arcar com chamadas telefônicas. (As coisas eram diferentes nos anos 1950.) Quando concluí a temporada no Moody, Karolyn se inscreveu na Faculdade Tennessee Temple, em Chattanooga, e foi admitida. Assim, no outono de 1958, eu me matriculei em Wheaton, e ela, em Tennessee Temple. Nosso romance por correspondência seguiu adiante até que descobri que Karolyn começara a sair com outro rapaz. Fiquei mal com aquilo. Era evidente que eu estava mais engajado com o nosso relacionamento do que ela. Mas continuei a mandar as cartas. Acho que escrevi duas vezes mais correspondências para ela do que ela para mim.

Quando soube que Karolyn voltaria para casa no verão, decidi que deveria fazer o mesmo. Ela retomou o antigo trabalho em Greensboro, mas nos encontrávamos todo fim de semana. Contudo, Karolyn recebia cartas do rapaz da faculdade quase diariamente. Ainda assim, eu achava esse cenário melhor do que quando o remetente era eu. Ao final do verão, eu estava caidinho por ela, mas não tinha certeza de haver conquistado seu coração.

No ano seguinte, voltei à escrita de cartas. Passado algum tempo, descobri que o amigo da faculdade dissera a Karolyn: "Acho que o Gary vai ganhar seu coração". Felizmente para mim, ele estava certo. Mais tarde naquele mesmo ano, o coro universitário de que Karolyn participava viajou para uma apresentação em Indiana, o que me fez dar um jeito de ir até a igreja onde cantariam. Quando a vi, meu coração balançou. Algumas semanas depois disso, Karolyn me disse que, ao me ver, também sentiu o coração disparar. Terminada a apresentação, passamos alguns minutos juntos, e eu lhe disse que a amava. Ela se mostrou bem mais cautelosa e evasiva, embora continuasse cordial. Quanto a mim, estava com o coração a mil! Nem mesmo me recordo do trajeto de volta para a faculdade naquela noite. Eu flutuava entre as estrelas.

Dali até o fim do ano, nossas cartas se tornaram mais frequentes e apaixonadas. Ao final do ano letivo, Karolyn acompanhou meus pais até Wheaton, para minha formatura. Lembro como foi estranho e, ainda assim, maravilhoso vê-la junto da minha família. Era bom estarmos todos juntos — um prenúncio do que nos aguardava.

Logo depois de concluir a graduação, segui para Colorado Springs, para o Programa Treinamento de Verão dos Navegadores, e Karolyn voltou ao seu trabalho em Greensboro. Mais uma vez, retomamos a troca de correspondências. Nessa época, ambos levávamos o relacionamento a sério, mas percebemos que havíamos passado pouquíssimo tempo juntos. Tínhamos uma relação a distância; por isso, fiz uma proposta: no outono, eu me matricularia no Seminário Batista do Sudeste, na Carolina do Norte, e Karolyn se transferiria para a Faculdade Catawba, próxima de onde morávamos. Assim, poderíamos passar os fins de semana juntos ou na companhia de nossos pais e observar como nossa relação se desenrolaria. Karolyn gostou da ideia; contudo, já não dava mais tempo de ela se inscrever para começar os estudos em Catawba no outono. Então, eu me matriculei no seminário, e ela voltou para o Tennessee, onde iniciou o processo de transferência para começar na nova faculdade em janeiro. Mais um semestre de troca de cartas.

Eis que, num dos fins de semana desse período, dirigi até Chattanooga para visitar Karolyn e, num local nada romântico, com palavras nada românticas, eu a pedi em casamento. Eu estava hospedado com um casal de amigos de nossa igreja local, que também eram estudantes. Certa noite, sentados nos degraus da casa deles, perguntei a Karolyn se ela queria morar no Texas comigo ao final do meu ano letivo no seminário. Ela sabia que eu a estava pedindo em casamento. (Naquela época, os casais só moravam juntos depois de casados. A revolução sexual dos anos 1960 ainda não havia eclodido.) Karolyn respondeu que adoraria ir comigo para o Texas. Não houve alianças (não antes de ela voltar para a Carolina do Norte), mas ambos estávamos certos de nosso compromisso com os preparativos para o casamento.

Em janeiro de 1961, retornamos para a Carolina do Norte, conforme planejado. Eu mal podia esperar pelos fins de semana repletos de longas conversas e hambúrgueres de nossa lanchonete favorita, além das atividades na igreja. Num desses fins de semana, Karolyn foi até Raleigh, onde eu morava, para escolhermos nossa aliança de noivado — não era algo que eu desejava fazer sozinho. Nossos sábados e domingos eram algo muito próximo do paraíso. Quando chegou o verão, fomos morar com meus pais e pudemos passar muito mais tempo juntos.

Como a data de nosso casamento se aproximava, tivemos uma reunião com o pastor, que concordou em conduzir a cerimônia. Nunca nos ocorreu que devêssemos ler algum livro sobre casamento ou obter aconselhamento pré-conjugal mais aprofundado. Em 12 de agosto, casamo-nos na igreja em que nos conhecemos. A melhor amiga dela (e minha ex-namorada) estava lá. A amizade delas se manteve ao longo dos anos.

# O vagaroso percurso rumo à unidade

Duas semanas após a cerimônia de casamento, empacotamos nossos poucos pertences, mudamo-nos para Fort Worth, no Texas, e me matriculei no Seminário Teológico Batista do Sudoeste. O plano era que Karolyn conseguisse um emprego e eu ficasse no seminário em tempo integral. Foi assim por um semestre. Ela processava pedidos numa empresa especializada em vendas pelos correios e tinha de estar a postos às cinco e meia da manhã. Karolyn não é uma pessoa matinal — preciso dizer mais? Ao final do semestre, ela padecia de úlceras no estômago. Então, assumi um trabalho de meio-período no Banco Nacional de Fort Worth, e Karolyn conseguiu um emprego, também de meio-período, no seminário, como secretária de um dos professores de Antigo Testamento. Isso funcionou bem melhor.

Contudo, nossa relação não era o que nenhum de nós havia imaginado. Nossas diferenças vieram à tona, e vivíamos discutindo sobre os mais diversos assuntos. Ninguém havia me dito que aquela euforia da paixão tinha duração média de dois anos. Como namoramos por mais de dois anos, desabei do "pico" bem cedo no casamento, e o mesmo aconteceu com Karolyn. As discussões se tornaram mais exaltadas. Lembro-me de uma noite de chuva intensa em que, no meio do embate, Karolyn saiu de casa. Quando a porta bateu, eu disse: "Ah, Deus, isso não é nada bom". E não foi!

Discutíamos por pequenas coisas, do tipo "como colocar os utensílios na lava-louças". Sou uma pessoa organizada. Quando eu botava a louça para lavar, cada coisa ficava devidamente acomodada. Assim, tudo ficava limpo, nada se quebrava nem perdia lascas. Karolyn enchia a lava-louça como quem joga *frisbee*. Tentei explicar como aquele eletrodoméstico fora projetado, mas não fez nenhum sentido para ela, que via meu método como perda de tempo. Por fim, comentou:

— Se isso é tão importante assim para você, por que não coloca você a louça para lavar?

Pensei: "Bem, acho que posso fazer isso".

— Tudo bem. Eu boto a louça para lavar. Mas, algumas noites, depois do jantar, tenho de sair para reuniões.

— Pode deixar que eu me responsabilizo nesses casos.

O que me ocorreu foi: "Eu sei, mas, ao tirar a louça na manhã seguinte, vou encontrar duas colheres grudadas com pasta de amendoim e me preocupar em não me cortar com cacos de vidro". Porém, minha resposta foi esta:

— Ótimo. Vamos tentar assim.

Foi o que fizemos. Desde então, eu me encarrego de botar a louça para lavar.

Houve, contudo, motivos mais expressivos. Poucos anos mais tarde, notei que Karolyn sabia abrir as portas dos armários, mas não sabia fechá-las. Ela sabia abrir gavetas, mas não sabia fechá-las. Aquilo me incomodava, portanto eu pedi que, ao terminar de usar a cozinha, fizesse o favor de fechar as portas dos armários, e, no banheiro, fechasse as gavetas. Foi um pedido simples, mas tudo indicava que ela não me ouvia.

Na semana seguinte, resolvi recorrer a uma tática visual. Coloquei sobre o balcão tudo o que havia na primeira gaveta, removi a gaveta do gaveteiro e mostrei a Karolyn como a coisa funcionava: "Essa rodinha encaixa nessa canaletinha, o que é uma invenção maravilhosa. Na verdade, é possível fechar a gaveta usando apenas um dedo". Depois, levei-a até a cozinha e falei: "Aqui, se você empurrar essa porta o suficiente, ela vai se fechar sem que você faça nada, tudo por causa desse pequeno ímã". Eu sabia que ela havia entendido.

Todos os dias daquela semana, verifiquei portas e gavetas, e todos os dias elas estavam abertas. Comentei: "Não entendo você, uma universitária cristã que não é capaz de fechar gavetas. Não consigo entender!". Karolyn também não entendia por que eu era tão obcecado por gavetas fechadas. Para ela, aquilo era uma perda de tempo. Comecei a perceber um padrão: perda de tempo. Assim, desisti das discussões, mas não sem me sentir frustrado ao chegar em casa e ver portas e gavetas abertas.

Cerca de nove meses depois, cheguei em casa certa noite e soube que nossa filhinha, à época com 1 ano e meio, havia caído e cortado o canto do olho ao bater numa gaveta aberta. Karolyn tinha levado a bebê ao médico, e ali estava nossa garotinha com pontos na região dos olhos.

Fiquei todo altivo. Não disse uma palavra sequer, mas, por dentro, pensei: "Aposto que agora ela vai fechar as gavetas". Outro pensamento que me ocorreu foi: "Ela não quis me ouvir, agora Deus está agindo nela". (Lembre-se de que eu era um seminarista.) A propósito, sou muito agradecido pelo fato de Karolyn ter me perdoado por toda bobagem que despejei sobre ela naquela época. Consegue se imaginar vivendo com alguém que perde as estribeiras por causa de gavetas abertas?

E você não vai acreditar: Karolyn não mudou! Dois meses mais tarde — ou seja, quando o assunto "portas e gavetas" já completava onze meses —, algo ficou evidente para mim: "Esta mulher nunca vai fechar as gavetas". Costumo demorar a aprender, mas finalmente entendi. Então, fui até a mesa em que estudava, na biblioteca, e fiz o que alguém me orientara a fazer quando se tem um problema cuja solução é desconhecida: listar as possibilidades de resolução, repassar todas elas e escolher a melhor opção.

Fiz minha lista: (1) eu poderia me separar de Karolyn; já tinha pensado nisso antes; (2) eu poderia passar a vida inteira me indispondo cada vez que visse uma gaveta aberta; (3) eu poderia aceitar que Karolyn nunca faria diferente e, dali em diante, *eu* fecharia as gavetas.

Ao repassar as alternativas, li a primeira: separação. Sabia que aquela não era uma opção. Se eu fizesse aquilo, nenhuma igreja jamais me admitiria como pastor; além do mais, era algo inconcebível. Li a segunda: eu poderia passar o restante de meus dias me indispondo por causa de gavetas abertas. Mas disse a mim mesmo: "Isso já foi longe o bastante. Não quero mais que seja assim". Obviamente, a terceira alternativa era minha melhor opção.

Fui para casa e contei a Karolyn que ela não precisava mais se preocupar com portas e gavetas. Disse-lhe que eu fecharia tudo quando chegasse em casa e que não haveria problema se ela precisasse abrir de novo, pois eu cuidaria de fechá-las depois. Sabe o que ela respondeu? "Legal!" Evidente que ela não fazia questão, mas aquele foi um dia importante para mim. De lá para cá, gavetas abertas nunca mais me deixaram aborrecido. Quando vou à cozinha, fecho as portas. Quando vou ao banheiro, fecho as gavetas. Leva cerca de sete segundos para fazer isso. Que tolo eu teria sido se transformasse num grande problema algo que pode ser resolvido em sete segundos!

Experiências como essa me ajudaram a entender que, na maioria das vezes, os conflitos são irrelevantes. Sendo humanos, temos padrões de comportamento diferentes e personalidades diferentes. Portanto, sempre vamos deparar com pontos de conflito. Anos mais tarde, conversando com outros casais, aprendi que não há casamento sem atritos. Numa análise retrospectiva, quem dera Karolyn e eu tivéssemos dedicado mais tempo ao aconselhamento pré-conjugal ou ao menos lido juntos um livro sobre casamento. A euforia da paixão nos cegou para a realidade da nossa condição humana.

Conversamos por uma hora com o pastor que conduziu nossa cerimônia de casamento. A única coisa de que me recordo da fala dele refere-se ao dinheiro. Ele sugeriu que cada um de nós reservasse uma quantia para gastar a bel-prazer. Embora fosse um bom conselho, não servia de preparativo para um casamento — lamentavelmente. Foi nosso próprio despreparo que, tempos depois, me levou a escrever *O que não me contaram sobre casamento*, um livro que tem ajudado milhares de casais a preparar-se melhor do que nós para o casamento.

Nossa relação não se transformou de uma hora para outra. Foi o compromisso que nos manteve juntos naqueles primeiros meses. Nenhum de nós apreciava a ideia do divórcio, mas ambos nos sentíamos infelizes. Eu cursava o seminário para ser pastor. Recordo-me de haver pensado: "Isso não vai dar certo. Não há como ser alguém tão infeliz em casa e pregar esperança às pessoas". Um dia, eu finalmente disse a Deus: "Não sei o que mais posso fazer. Já fiz tudo o que sabia, e não está melhorando. Na verdade, está piorando. Não sei o que fazer".

Assim que terminei a oração, veio à minha mente uma imagem de Cristo lavando os pés de seus discípulos, e ouvi uma palavra de Deus para mim: "O problema de seu casamento é que você não tem a atitude de Cristo para com sua esposa". Isso me atingiu em cheio. Lembrei o que Jesus disse depois de lavar os pés dos Doze: "Sou o líder de vocês, e, em meu reino, é assim que se lidera". O líder serve. Eu sabia que não estava agindo dessa forma, pois esperava certas atitudes de Karolyn. Segundo ela, eu lhe fazia exigências; e, sim, ela estava certa. Minha conduta era: "Podemos ter um bom casamento se você me ouvir". Ela não me ouvia, e eu a culpava pela precariedade de nossa relação. Mas, naquele dia, a mensagem foi diferente. Clamei: "Ó Deus, por favor, dá-me a atitude de Cristo para com minha esposa". Hoje vejo que essa foi a melhor oração que fiz quanto ao meu casamento. Deus mudou minha atitude.

Três perguntas me ajudaram a pôr isso em prática. Quando me dispus a fazê-las, meu casamento começou a melhorar. São perguntas simples: (1) Querida, como posso ajudá-la? (2) Como posso facilitar sua vida? (3) Como posso ser um marido melhor? Quando me dispus a perguntar isso, Karolyn se dispôs a me oferecer respostas. Evidentemente, naquele tempo eu não sabia nada sobre as linguagens do amor. Mas, olhando para trás, percebo que as respostas de minha esposa estavam me ensinando qual era sua linguagem do amor. Quando comecei a considerar as respostas dela, sua atitude para comigo começou a mudar. Em três meses, ela também estava me fazendo tais questionamentos.

Esse foi o modo como aprendi o segredo para um casamento sadio. Quando duas pessoas escolhem dedicar-se a servir uma à outra, ambas saem vencedoras. No início, tanto Karolyn quanto eu perdíamos. Ao final das discussões, ambos nos víamos ressentidos um com o outro. Mas, quando começamos a nos servir mutuamente, o clima em nosso casamento se transformou. Temos caminhado por essa trilha já há muitos anos, e tenho uma esposa incrível. Faz um tempo, afirmei a ela: "Se toda mulher no mundo fosse igual a você, não haveria divórcios". Por que um homem deixaria uma mulher que faz tudo o que pode para apoiá-lo? Minha intenção tem sido servir minha esposa a tal ponto que, quando eu morrer, ela jamais encontre outro que a trate como eu a tratei.

Creio que esse é o plano de Deus. Ele não criou o casamento para que fôssemos infelizes. Deus sabe que dois são melhores que um. Ele nos fez para que completemos um ao outro. Somos egocêntricos e autocentrados por natureza, e o lado bom dessa verdade é que podemos cuidar de nós mesmos. Nós nos alimentamos, dormimos, praticamos exercícios e aprendemos. Contudo, quando adotamos a vaidade como abordagem perante as situações da vida, isso resulta em egoísmo: nossa perspectiva diante da vida se torna "O que posso ganhar com isso?" em vez de "Como posso melhorar a vida do outro?". Dois egoístas jamais experimentarão um casamento sadio.

Amor é o contrário de egoísmo. Quem ama busca apoiar, elevar, melhorar a vida de seu cônjuge. Quando duas pessoas se amam, elas criam um ambiente no qual o casamento prospera. A boa notícia é que somos nós que escolhemos nossas atitudes. Por natureza, somos egoístas, mas, com a ajuda de Deus, podemos nos tornar amáveis. E podemos escolher amar um cônjuge que não demonstra amor por nós. O amor incondicional é a influência mais positiva que se pode exercer sobre alguém. Todos sabemos que não somos capazes de mudar os outros, mas, às vezes, esquecemos que podemos influenciá-los. Isso fez particular sentido para mim quando Deus transformou meu coração e me deu o desejo de servir a Karolyn. Quando escolhi amá-la de maneira significativa, ela correspondeu. Com efeito, as Escrituras afirmam: "Nós amamos porque ele nos amou primeiro" (1Jo 4.19). Jesus nos amou incondicionalmente. O apóstolo Paulo disse: "Deus nos prova seu grande amor ao enviar Cristo para morrer por nós quando ainda éramos pecadores" (Rm 5.8). Fomos impactados pelo amor divino, e o mesmo princípio se aplica às relações humanas.

Na realidade, influenciamos uns aos outros todos os dias, positiva ou negativamente. Quando chega em casa depois de um dia de trabalho, cumprimenta sua esposa com um abraço, fala como foi seu dia e pergunta: "O que posso fazer para ajudá-la esta noite?", você a influencia positivamente. Porém, se entra em casa sem cumprimentá-la, indo direto até a geladeira para pegar uma bebida, e senta-se diante do computador, você a influencia negativamente. O segredo para um casamento cada vez mais exitoso é buscar influenciar positivamente um ao outro. Muitas vezes, o poder dessa influência é subestimado pelos casais, para seu próprio prejuízo.

Esse poder influenciador que aprendi em meu casamento impactou muitíssimo minha prática de aconselhamento. Estou bem ciente de que todo casal que ocupa as cadeiras de meu gabinete será negativa ou positivamente afetado pelo modo como me dirijo a eles. Se eu os tratar com respeito e dedicar tempo a ouvir a perspectiva de cada um, mostrando empatia por seus sentimentos, eles provavelmente sairão esperançosos e dispostos a prosseguir com as sessões. Se eu me apresentar como alguém reprovador e condenatório, há poucas chances de eles retornarem. Sou profundamente grato por haver aprendido essa lição em meu casamento.

# Um enorme passo adiante

Karolyn e eu somávamos vinte anos de casados quando descobri as cinco linguagens do amor. Havendo superado os dolorosos primeiros anos, ambos reconhecíamos ter um bom casamento. Nesse intervalo, nasceram nossos dois filhos — falarei mais sobre isso no capítulo seguinte. A vida era cheia de demandas. A conclusão da graduação e o envolvimento no ministério consumiam nosso tempo, mas gostávamos daquilo. Porém, quando descobri o princípio das cinco linguagens do amor, nosso casamento deu um enorme passo adiante.

O livro *As 5 linguagens do amor* foi publicado originalmente em 1992, mas o conceito por trás dele me ocorreu dez anos antes. Tal conceito foi abordado em meus aconselhamentos, ensinado em aulas para casais e aplicado em meu próprio casamento antes mesmo de eu pensar em escrever o livro. Naquela época, eu sabia que aprender a linguagem de amor do cônjuge favorece imensamente a atmosfera emocional entre o casal. Nunca esquecerei a primeira vez em que me dei conta de que as razões pelas quais as pessoas se sentem amadas não são as mesmas.

Certa vez, um casal que eu nunca tinha visto antes entrou em meu gabinete, e eu descobri que eram casados havia trinta anos. A esposa começou dizendo:

— Antes de mais nada, deixe-me contar um pouco sobre nós: não brigamos nem temos problemas relativos a dinheiro.

Ela seguiu fazendo vários outros comentários positivos; então, perguntei a mim mesmo: "Eles vieram até aqui para dizer como é bom o casamento que têm?". Em seguida, porém, ela começou a chorar:

— A questão é que não sinto nenhum amor da parte dele. Vivemos na mesma casa, mas somos como colegas que dividem o teto. Ele faz as coisas dele, eu faço as minhas. Não há nada entre nós. Eu me sinto muito vazia e não sei por quanto tempo vou conseguir continuar assim.

Quando ela terminou, olhei para o marido, que falou:

— Não a entendo. Faço tudo o que posso para mostrar que a amo, mas ela fica dizendo que não se sente amada. Não sei mais o que fazer.

Então, perguntei:

— O que você faz para mostrar a ela seu amor?

— Chego do trabalho antes dela e começo a preparar a refeição da noite. Às vezes, termino antes de ela chegar em casa. Outras vezes, ela me auxilia. Depois do jantar, lavamos a louça. Toda quinta-feira à noite, eu passo aspirador no chão, e todo sábado, lavo o carro, aparo a grama e ajudo a cuidar da roupa suja.

Pensei comigo: "O que essa mulher faz?". Tive a impressão de que ele fazia tudo. Ele continuou:

— Faço tudo isso porque a amo, mas ela diz que não se sente amada. Não sei mais o que fazer.

Olhei para ela, que, chorando novamente, comentou:

— É verdade. Ele é um homem dedicado, mas nós não conversamos. Em vinte anos, jamais tivemos uma conversa. Ele está sempre lavando a louça, passando aspirador no chão, aparando a grama ou levando o cachorro para passear.

Notei que ali havia um homem que amava genuinamente sua esposa, e havia uma esposa que não se sentia alvo desse amor.

Depois desse episódio, por repetidas vezes ouvi histórias semelhantes em meu gabinete de aconselhamento. E compreendi que certamente havia um padrão naquilo que eu escutava, mas não fazia ideia do que fosse. Por fim, dediquei tempo à leitura das anotações registradas naqueles tantos anos de aconselhamento e me fiz a seguinte pergunta: "Quando uma pessoa diz: 'Sinto que meu cônjuge não me ama', o que ela quer? Está se queixando de quê?". As respostas se enquadravam em cinco categorias, as quais, mais tarde, chamei de cinco linguagens do amor.

Assim, passei a usar esse conceito nos aconselhamentos, ajudando o marido a entender que, se quer fazer a esposa sentir-se amada, deve expressar amor na linguagem dela. E a esposa deve aprender a linguagem do amor do marido se quiser que ele sinta o mesmo. Eu os ajudava a descobrir a linguagem do amor de cada um e os desafiava a voltar para casa a fim de que tentassem pô-las em prática. Às vezes, eles voltavam depois de três semanas e comentavam: "Tudo está mudando! Agora nossa relação é totalmente diferente". Então, comecei a usar o conceito em pequenos grupos de casais e obtive a mesma resposta. Demorou pelo menos cinco anos até que eu pensasse: "Se eu registrar esse conceito num livro, talvez possa ajudar casais que jamais verei em meu gabinete". Mal sabia eu que o livro impactaria o mundo todo, sendo publicado em mais de cinquenta idiomas.

"Você fica o tempo todo dizendo 'Eu te amo'. Se me ama, por que não me ajuda?"

Entretanto, o conceito de linguagem do amor potencializou enormemente minha compreensão acerca de meu próprio casamento. Antes de me casar, eu não sabia nada sobre linguagens do amor, é claro. Mas eu sabia que, quando me elogiavam, eu me sentia valorizado. Portanto, o que fiz depois de me casar? Teci elogios a Karolyn. Eu lhe dizia como estava bonita, como eu gostava do que ela fazia, e assim por diante. Acho que falava "Eu te amo" a ela uma dúzia de vezes ao dia. Lembro-me da resposta:

— Você fica o tempo todo dizendo "Eu te amo". Se me ama, por que não me ajuda?

Eu reagia:

— O que você está dizendo? Estudo o dia todo e ainda trabalho mais um turno. O que mais você quer?

Obviamente, essa não era uma resposta amorosa, o que acabava nos conduzindo a uma nova discussão. Ah, como eu gostaria de ter conhecido as linguagens do amor no início de nosso casamento. As coisas teriam sido muito mais fáceis.

Quando aprendi sobre essas linguagens, ficou evidente para mim que a linguagem de Karolyn era atos de serviço. Todas as respostas que ela dava às minhas três perguntas (Como posso ajudá-la? Como posso facilitar sua vida? Como posso ser um marido melhor?) revelavam isso. Assim, ao considerar tais respostas, eu falava a linguagem do amor de Karolyn, embora não entendesse o conceito em si. Porém, quando finalmente o compreendi e conversamos sobre ele, Karolyn começou a me oferecer mais palavras de afirmação, e eu passei a me focar ainda mais em atos de serviço. É por isso que nunca saio de casa sem antes colocar o lixo para fora, e ela me diz que sou o marido mais incrível do mundo — sei que é uma hipérbole, mas, ainda assim, faz que eu me sinta amado.

## Quando veio o câncer

Em 2012, um visitante inesperado adentrou nosso casamento. Nunca vou me esquecer da manhã em que Karolyn pediu que eu me sentasse, pois desejava dividir algo comigo.

— Falei com o médico, e ele informou que tenho câncer uterino. Ele pode me operar na próxima semana, e depois vou precisar passar por tratamento quimioterápico. Eu soube disso ontem à tarde. À noite, preferi não lhe contar, pois não queria que você perdesse o sono.

Permaneci sentado, em choque, por um instante. Então, vieram as lágrimas, primeiro porque Karolyn tinha pensado em minha noite de sono e depois porque eu sabia o que aquela notícia significava. Ao longo dos anos, na condição de pastor, eu acompanhara muita gente na travessia do câncer. Conhecia os efeitos da quimioterapia, seus altos e baixos. Sabia que não era possível garantir os resultados. Enxuguei as lágrimas e disse:

— Pois bem, eis o que vou fazer: vou cancelar todas as palestras com que me comprometi, pelo menos por um ano. Estarei com você em cada passo da jornada. Trilharemos essa estrada juntos.

A resposta dela foi imediata:

— Escute aqui. Você não vai cancelar nada. Deus sabia que isso estava por vir. Ele não foi pego de surpresa. Deus vai me fazer companhia. Sei que você vai estar aqui quando eu precisar, mas você vai fazer aquilo para que o Senhor o chamou. Se eu precisar de alguma coisa e você não estiver por perto, posso contar com amigas que chegarão aqui em cinco minutos.

Eu sabia que Karolyn tinha razão. Ela era profundamente amada por muitas pessoas. Então respondi:

— Deixe-me pensar no assunto, e vamos orar para que Deus nos dê sabedoria.

Em seguida, orei. Ambos depositamos a situação nas mãos de Deus, certos de que ele nos guiaria por aquela rota inesperada.

Naquele mesmo dia, Karolyn telefonou para nossa filha, que é obstetra e ginecologista, e lhe deu a notícia. Shelley perguntou quando Karolyn seria operada e deu um jeito de estar junto da mãe desde a véspera até uns dias depois da cirurgia. Ela nos ajudou a entender os procedimentos médicos e cooperou para que obtivéssemos um segundo parecer acerca da quimioterapia. Após analisar os exames, seus colegas de profissão concordaram que essa era a melhor alternativa. Assim, em poucas semanas, iniciou-se o tratamento.

Como muitos pacientes de câncer podem atestar, a jornada da quimioterapia não é nada prazerosa. No tempo previsto, Karolyn perdeu o cabelo, e seu estômago rejeitou comida. Além de perder peso, ela foi constantemente acompanhada por ondas de dor. Houve vezes em que nós dois nos questionamos se ela estava às portas do paraíso. Tempos depois, Karolyn relatou: "A única coisa que me sustentou foram as porções das Escrituras que memorizei quando criança e quando frequentei a faculdade. Por vezes, eu me sentia fraca demais até mesmo para orar, mas aqueles versículos percorriam minha mente como um lembrete de que Deus estava comigo e de que minha vida estava nas mãos dele".

Como marido, foi difícil vê-la sofrer. Durante quase um ano, Karolyn só saiu de casa para ir a consultas médicas. Enquanto os quimioterápicos eram aplicados, eu ficava sentado junto dela e orava para que o tratamento fosse bem-sucedido. Ao ver os efeitos negativos da terapia, torci para que os efeitos positivos sobressaíssem. As coisas pareceram piorar muito antes de começarem a dar sinais de melhora; porém, no tempo certo, o tratamento foi encerrado, iniciando-se a longa jornada da recuperação. Pouco a pouco, o corpo de Karolyn recobrou peso e força até que ela se mostrou pronta para o uso de peruca e chapéus. Se não estou enganado, acho que houve uma época em que minha esposa tinha uns trinta chapéus.

Karolyn nomeia 2012 como seu "ano perdido". Entretanto, ela prontamente afirma que ele a fez apreciar a vida de um modo distinto. Lembro que, quando Karolyn completou 80 anos, alguém lhe perguntou se ela se opunha a revelar a idade. Ela respondeu: "Não! Fico feliz em poder dizer que ainda estou viva. Agradeço a Deus a cada novo aniversário". Nós dois sabemos quão abençoados somos; portanto, procuramos aproveitar cada dia ao máximo.

O casamento com Karolyn impactou minha vida e meu ministério de modo extraordinário. Sem a influência dela, não haveria "eu". Karolyn é minha maior incentivadora. Ela é graduada em língua inglesa e, por isso, revisa todos os meus livros. Ao ouvir de meu editor que meus originais são os que menos demandam revisão, respondi: "Há um motivo para isso. Um motivo chamado Karolyn". Com liberalidade, minha esposa concordou em permitir que eu expusesse os conflitos que enfrentamos nos primeiros anos do casamento. Ambos sabíamos que, se nossa intenção era ajudar outros casais, precisávamos ser honestos acerca de nossa própria jornada. O mais incrível é que Deus usa até mesmo nossos piores momentos para forjar quem somos e para glorificar seu nome.

Minha empatia para com casais feridos se originou no sofrimento que eu mesmo vivi no início da vida conjugal. Sei o que é estar casado e infeliz; sei o que é sentir que, por serem os dois muito diferentes, as coisas não vão dar certo. Talvez eu nem sequer teria me dedicado ao ministério de aconselhamento se não tivesse passado por tais conflitos. Por outro lado, também sei o que é encontrar esperança e cura. Sei o que Deus pode fazer se dermos a ele a chance de mudar nosso coração e nossas atitudes. Sei o que é ter uma esposa amável e apoiadora e conheço a profunda satisfação que resulta de ser um marido amoroso. Por isso, levo esperança ao gabinete de aconselhamento.

> A maneira como Karolyn lidou com aquele intruso inesperado me remeteu à importância de andar perto de Deus. Quando vêm os tempos difíceis (e eles virão a todos), precisamos que o Espírito ministre a nós e ore em nosso favor.

Às vezes, digo aos casais: "Compreendo que vocês não nutram mais esperanças quanto ao casamento. Entendo o que os faz sentir assim; já estive nessa condição. Portanto, o que acham de embarcar em minha esperança? Sim, pois eu tenho esperança de que vocês vão conseguir. Sei em meu coração que o casamento de vocês pode ser diferente. Se embarcarem em minha esperança, se estiverem dispostos a contar com a minha companhia e tentar algumas das minhas sugestões, veremos o que acontece". No decorrer dos anos, vi muitos casamentos restaurados, e isso é o que alegra todo conselheiro conjugal.

Sim, meu casamento exerceu grande influência sobre mim: nele fui ensinado, inspirado e moldado.

## O QUE APRENDI EM MEU CASAMENTO

1. Que o fato de sermos cristãos não nos isenta de conflitos conjugais.
2. Que, quando buscamos socorro em Deus, há luz até mesmo na mais escura das noites.
3. Que o egoísmo destrói casamentos. O amor edifica relações sadias.
4. Que reconhecer a linguagem do amor do outro e expressar-se por meio dela facilita a vida em todos os sentidos.
5. Que ouvir o outro com empatia torna possível a resolução de conflitos sem discussões.
6. Que, no reino de Deus, o líder é servo.

SEÇÃO QUATRO

# A INFLUÊNCIA QUE RECEBI DE MEUS FILHOS

1964-Dias atuais

# Não existem dois filhos idênticos

Não há pai nem mãe que não tenha sido afetado pelos filhos. Não raro, o que entendemos por responsabilidade parental corresponde a ensinar os filhos, educá-los e orientá-los a seguir um caminho promissor. Contudo, pais e mães também são bastante influenciados por sua prole. Meus dois filhos, Shelley e Derek, exerceram profunda influência sobre mim.

Shelley chegou três anos depois de Karolyn e eu nos casarmos. Eu havia concluído minha primeira graduação no seminário e pastoreava uma igreja em Salisbury, na Carolina do Norte. Jamais vou me esquecer da manhã de domingo em que Shelley nasceu. Era bem cedo quando levei Karolyn ao hospital, onde o médico, depois de examiná-la, me disse: "Acho que ainda faltam algumas horas para ela dar à luz. Portanto, se você quiser voltar à igreja para ministrar a pregação, acredito que conseguirá estar de volta antes de o bebê nascer". Naquela época, não era permitida a presença de maridos em salas de parto. (As coisas eram diferentes no início dos anos 1960.) Acatei a sugestão do médico e, ao final do culto, avisei aos irmãos que eu não poderia cumprimentá-los na saída porque Karolyn estava prestes a dar à luz nosso bebê. Arrisco dizer que as irmãs da igreja não gostaram nem um pouco de saber que eu havia deixado minha esposa sozinha no hospital. O que eu poderia fazer? Só estava seguindo a sugestão médica.

Assim que cheguei ao hospital, o médico veio me informar que eu era pai de uma menininha. Ele me convidou a entrar na sala, e ali estava Karolyn com nossa bebê deitada sobre sua barriga. Ainda sob efeito dos medicamentos, Karolyn disse: "É uma garotinha, não tive escolha". Naquele tempo, somente no nascimento do bebê é que o casal descobria se esperava um menino ou uma menina. (As coisas eram diferentes nos anos 1960.) Reconheci o motivo daquela afirmação de minha esposa. Antes de nos casarmos, Karolyn me falou que queria ter cinco meninos. Ela vinha de uma família grande: tinha seis irmãos e duas irmãs. O médico comentou: "Não se preocupe! Não demora muito para ela conquistar de vez o coração do papai". Ele tinha toda razão! Senti-me radiante por ter uma menininha.

Shelley não nos deu trabalho. Desde o início, dormiu a noite toda. Na verdade, a impressão era de que ela dormia na maior parte do tempo. Já mais crescida, mostrou-se uma criança bastante dócil; em resumo, fazia conforme a orientávamos. Foi divertido vê-la desenvolver habilidades motoras e, no devido tempo, competência linguística. Ela foi uma criança feliz, sempre sorrindo e gargalhando. Para ser sincero, era tão fácil e tão prazeroso educá-la que me perguntei: "O que há de tão complicado em ter filhos? Por que outros pais e mães dizem ser tão difícil?". Quatro anos mais tarde, quando o irmão dela nasceu, eu tive a resposta.

Derek passava a noite em claro. De fato, parecia que nunca dormia. Quando criança, comportava-se como alguém para quem "dormir é perda de tempo". Maiorzinho, estava sempre se movimentando, explorando tudo à sua volta. Não era nada dócil e frequentemente testava nossa paciência. Então me indaguei: "Como podem dois filhos de um mesmo casal ser tão diferentes?". Anos depois, quando escrevi *Ah, se eu soubesse!*

*Coisas que aprendi só depois de ter filhos*, intitulei um dos capítulos como "Nenhuma criança é igual a outra". Quem me dera houvesse lido meu livro antes de ter filhos. Recordo o dia em que Karolyn sugeriu: "Acho que uma menina e um menino são o suficiente para nós". Concordei de imediato. Eu não tinha certeza de que dispunha de energia o bastante para outro filho. Sempre admirei pais e mães de famílias grandes e sempre orei por eles.

Uma das coisas que aprendi com Shelley foi o valor da persistência, ou seja, de escolher um caminho e seguir consistentemente naquela direção. Aos 8 anos, ela disse a Karolyn:

— Quando eu crescer, quero ser médica.

— Bem, querida, se essa for a intenção de Deus para você, ótimo! — respondeu a mãe.

Desde os primeiros dias na educação infantil, Shelley se mostrou estudiosa. Quando estava no ensino médio, estudou latim por quatro anos e fez um curso intensivo de ciências. Sim, ela ainda desejava ser médica. Em seguida, escolheu uma faculdade cujo programa dava amplo enfoque à área da saúde. Dali, foi para a escola de medicina propriamente dita. Então, vieram os quatro anos de residência e outros dois de pesquisa em medicina materno-fetal. Shelley trabalha com partos de alto risco e ama o que faz. Ela é um ótimo exemplo da importância de persistir no que se quer.

Quanto a Derek, com ele aprendi a vantagem de ser alguém versátil. Já crescido, ao observar a irmã, certa vez comentou: "Shelley é muito focada. Quando se coloca o foco numa coisa, perdem-se muitas outras na vida". No ensino médio, ele jogou basquetebol e montou sua própria banda de *rock*, na qual tocava violão e cantava. Na faculdade, concluiu três graduações: Filosofia, Inglês e Religiões Mundiais. Mais tarde, obteve o diploma de doutorado em Terapia Expressiva. Poucos meses depois de começar a atuar nessa área, Derek voltou para casa e me disse que se sentia impelido por Deus a exercer algum tipo de ministério, pelo que decidiu frequentar o Seminário Golden Gate, em San Francisco, na Califórnia. Nos três anos em que cursou o seminário, viveu numa casa paroquial localizada no distrito de Haight-Ashbury e trabalhou com crianças em situação de rua.

Após essa experiência, Derek se mudou para Praga, na República Checa, onde serviu em ministério semelhante ao que exercera em San Francisco. Foi em Praga que se casou com Amy; ela era natural de Michigan e trabalhava no ministério na capital checa. Então, eles se mudaram para Antuérpia, na Bélgica, onde continuaram servindo. Já faz muitos anos que vivem em Austin, no Texas, ministrando à comunidade artística local. Sim, Derek sabe ser versátil. Seu espírito ousado o conduziu a lugares aonde jamais chegaria se fosse alguém mais focado.

Minha vida combina foco e versatilidade. Mesmo sendo parte de uma mesma equipe eclesiástica há cinquenta anos, encontro bastante diversidade em minha rotina: sou conselheiro pastoral, escritor e palestrante. Tais funções me levaram a lugares aonde eu nunca chegaria não fosse por elas; ao mesmo tempo, elas me mantiveram ancorado na igreja. Os diferentes estilos dos meus dois filhos exerceram grande influência sobre minha vida.

## Pais e mães são mais velhos (e mais sábios) que os filhos

Ao criar filhos, Karolyn e eu aprendemos que eles demandam direcionamento. Pais e mães são mais velhos que seus filhos, pelo que se espera que sejam, também, mais sábios. Por exemplo: minha esposa e eu submetemos nossos filhos a aulas de piano. Karolyn, que é musicista, declarou: "Nenhum filho meu passará pela vida sem saber ler uma partitura". Shelley reagiu bem; Derek nem tanto. De fato, por vezes ele desejou desistir. Advertimos que ele não precisava gostar de piano, bastava que frequentasse as aulas durante cinco anos. Só então, caso quisesse, poderia desistir. Ao final desse período, ele abandonou o instrumento. Porém, na adolescência, quis tocar violão e, depois de umas poucas aulas, comentou com Karolyn: "Mãe, obrigado por me fazer aprender piano. É muito mais fácil aprender violão quando se sabe ler partituras".

Alguns pais e mães acreditam que não devem impor aos filhos coisas de que estes não gostem. Em minha prática de aconselhamento, concluí que crianças que só fazem aquilo que apreciam acabam entediadas e não costumam ter muito êxito no mundo real, que frequentemente nos força a fazer coisas de que não gostamos. Lembro quando Derek, adolescente, revelou não querer mais ir à escola dominical. Perguntei o motivo, e Derek respondeu:

— É um tédio só!

— Entendo. Já participei de aulas tediosas também, algumas vezes na escola e outras na faculdade. Mas isso não me fez cair fora. Em nossa família, todos frequentamos a escola dominical. Veja, você tem uma escolha: pode ficar entediado ou pode fazer perguntas durante as aulas e, assim, tornar a coisa mais interessante.

Então ele começou a fazer perguntas. Hoje, Derek é um professor formidável e sabe como se manter consistente quando as coisas não lhe agradam tanto — uma competência necessária a todo adulto bem-sucedido.

Um dos aprendizados que tive com meus filhos foi que o diálogo é muito mais produtivo que o monólogo. Pais e mães ainda são as autoridades do lar; ainda temos a palavra final, mas precisamos ouvir o ponto de vista dos adolescentes. Lembro-me de uma vez em que Derek disse: "Pai, eu vou fazer o que você falou. Só quero que me ouça". Foi quando comecei a perceber o poder da escuta. Cheguei à conclusão de que pais e mães de adolescentes devem ouvir três vezes mais do que falam. Na verdade, se formos bons ouvintes, nossos filhos serão mais receptivos àquilo que dizemos. Quando não se sentem considerados, os adolescentes tendem a ignorar o que falamos.

Cheguei à conclusão de que pais e mães de adolescentes devem ouvir três vezes mais do que falam.

Outra lição que aprendi na adolescência de meus filhos foi o equilíbrio entre palavras e ações. Você até pode explicar a um adolescente como lavar um carro, mas é muito mais provável que ele aprenda na prática. Recordo que, quando Derek tinha 14 ou 15 anos, eu regularmente o levava comigo, nas noites de sábado, a um centro de detenção juvenil. Nessas ocasiões, jogávamos pingue-pongue com os rapazes detidos ali, e, por vezes, eles partilhavam conosco suas histórias. Na volta para casa, eu dizia ao volante: "Pense nisto: aqueles jovens têm sua idade e, por haverem infringido a lei, não podem ir para casa esta noite"; em seguida, conversávamos sobre o que os teria conduzido à prisão. Nunca vivenciaríamos tais conversas se não visitássemos aquele centro de detenção. Com meus filhos, aprendi muito sobre a vida e os relacionamentos pessoais.

Shelley e o marido, John, têm dois filhos adultos: Davy Grace e Elliot, e ambos cursam a faculdade e são comprometidos com Cristo. John e Shelley estão experimentando a alegria de ver seus filhos "andando na verdade". Em seu trabalho como médica, Shelley tem a oportunidade de interagir com mães que lidam com gestações complicadas. Deus deu a ela um coração compassivo e habilidade para oferecer apoio. Shelley também já viajou à Etiópia para ajudar a avaliar as demandas sanitárias locais; ali, a contribuição dela foi determinante para a assistência a muitas mulheres. Ademais, Shelley e John se empenham em atender às necessidades de sua própria comunidade.

De igual modo, Derek e Amy têm forte envolvimento com os integrantes da comunidade onde estão. Afeitos à música e à arte, eles combinam bem com a atmosfera artística de Austin. Pela versatilidade que caracterizou sua formação, Derek tem bom relacionamento com gente de todas as tribos. Tal como a mãe, faz amizade com qualquer desconhecido com que depara. Nos seis anos em que moraram na Europa, Derek e Amy conheceram muitas famílias de missionários americanos. Ocorre que, embora não possam gerar filhos, meu filho e minha nora sempre amaram crianças. Em razão disso, costumam receber em casa, por uma semana ou todo um verão, os filhos crescidos daqueles missionários; os jovens retornam aos Estados Unidos para cursar a faculdade e aproveitam para visitar Derek e Amy.

# Reflexões motivadas por Shelley

Pouco antes de escrever este livro, perguntei a Shelley quais eram suas memórias de infância. Ela mencionou as sextas-feiras à noite, quando reuníamos estudantes universitários em nossa casa e esclarecíamos suas dúvidas. Fizemos isso semanalmente durante uma década, dos 7 aos 17 anos de Shelley. Entre os participantes desses encontros, havia alguns alunos de medicina. Shelley afirmou que ouvir os questionamentos deles e acompanhar as discussões que se seguiam foram experiências que a influenciaram bastante. "Para falar a verdade, os debates com os estudantes de medicina nutriram meu interesse por essa carreira." Ela citou, ainda, os sábados em que, também acompanhados de universitários, subimos algumas trilhas nas montanhas da Carolina do Norte. "Era muito legal passear com eles", comentou.

"Outra coisa de que me recordo são os três anos em que você foi diretor do Acampamento Merriwood. Eu era muito nova, mas me lembro de ficar correndo por todo lado e de me divertir ali. Lembro-me especialmente do salão de jantar." Já mais crescida, Shelley passava uma semana no acampamento de nossa igreja, sempre no verão. Era sua temporada longe de mim e de Karolyn. Segundo ela, isso a ajudou a crescer e a aprender a se relacionar com os outros.

Shelley também se referiu aos cafés da manhã que tomávamos a sós uma vez por mês, quando ela era um pouco maior.

"Eu me sentia especial por estarmos só nós dois. O mesmo acontecia quando caminhávamos juntos após o jantar, na época em que eu cursava o ensino médio. Eu podia perguntar qualquer coisa a você, e gostava disso", afirmou. "Também amava ouvir as histórias da Bíblia que você lia para mim quando eu era pequena, bem como as leituras bíblicas noturnas em família tempos depois. Recordo que, toda noite, ou você ou a mamãe se ajoelhava ao lado de minha cama e orava por mim. Vocês me deixavam fazer as orações também. Acredito que foi assim que aprendi a orar."

Nossa conversa me fez pensar na força do relacionamento entre pais e filhos. Pais e mães têm precedência sobre os filhos, mas esse tipo de relação tem efeitos de mão dupla. Saí fortalecido daquele curto intervalo em que recordamos o passado.

Enquanto escrevia este relato, recebi de Shelley o seguinte *e-mail*: "Nas últimas duas semanas, andei retomando memórias de infância. A melhor delas é, sem dúvida, a das leituras bíblicas à mesa do café da manhã, quando você fazia perguntas para nós e mostrava como aplicar o que fora lido. Não sei ao certo se a mamãe estava de fato acordada nessas ocasiões, mas nós estávamos". (Lembre-se de que Karolyn não é uma pessoa matinal.) "Também recordo que, do final do ensino fundamental até o ensino médio, andávamos pela vizinhança, conversando e vendo o que acontecia nas redondezas. Lembro-me das noites em que jogávamos e líamos histórias juntos. Sou grata por essas memórias felizes que tenho de nossa família."

## Reflexões motivadas por Derek

Um tempo depois, pedi a Derek que relatasse recordações de sua infância. Ele repetiu algumas coisas mencionadas por Shelley, pois ambos tinham a mesma rotina matinal e a mesma rotina noturna. Contudo, lembrou que, diferentemente de Shelley, que sempre caminhava comigo após o jantar, ele nunca queria fazer isso, sob a seguinte alegação: "Não faz sentido sair para caminhar, ficar perambulando sem destino. E, quando há um destino, basta dirigir até lá". Meu filho sempre gostou que eu jogasse basquete com ele. Sua linguagem do amor era toque físico, e, toda vez que jogávamos juntos, havia muito contato corpo a corpo.

Derek também mencionou as viagens de verão que fazíamos só nós dois desde que ele completou 8 anos. Começamos nossos passeios de carro pela Blue Ridge, uma estrada arborizada da Carolina do Norte. Saíamos da região oeste do estado e seguíamos até as partes altas das montanhas rumo à Virgínia. A ideia era passar dois dias fazendo isso, sempre no verão. Parávamos em todos os mirantes e fazíamos todas as trilhas possíveis. (Essas eram as únicas ocasiões em que ele caminhava comigo, embora, em seu entendimento, fazer trilha fosse diferente de caminhar. Acabei concordando: percorrer trilhas era uma verdadeira aventura.) Além disso, subíamos as torres de vigia distribuídas ao longo do trajeto. À noite, dormíamos no carro ou em algum quarto de hotel. Nunca gostei de acampar,

Derek tampouco. A cada verão, começávamos de onde havíamos parado na viagem anterior. Levamos quatro anos para fazer todo o percurso.

Quando Derek chegou à adolescência, comecei a consultá-lo sobre onde gostaria de passar o verão. Nossas andanças nos levaram ao arquipélago de Outer Banks, na Carolina do Norte; a Nova York, onde encontramos o apresentador David Letterman num elevador do Edifício Empire State; a Dallas, no Texas; ao Grand Canyon; às cataratas do Niágara; a San Diego, na Califórnia; e a Pearl Harbor, no Havaí. Depois que Derek ingressou na faculdade, mantivemos nossa tradição de viajar juntos no verão. Num deles, fomos até a Universidade de Oxford, na Inglaterra, onde fizemos um curso sobre a vida de C. S. Lewis. Em outro, estudamos sobre fé e incredulidade no Seminário de Denver, no Colorado; o professor era o Dr. Vernon Grounds. Tanto eu quanto Derek temos o hábito de refletir sobre as memórias que registramos naqueles verões.

## Como aprendi a lidar com a ira

Uma das maiores lições que aprendi com Derek foi como controlar minha ira. Não sou uma pessoa raivosa por natureza. Na verdade, só me lembro de ter ficado irado depois de casado. E só me lembro de ter sentido muita raiva depois de ter um filho adolescente. Recordo-me de uma noite em que Derek e eu discutimos. Ele tinha 14 ou 15 anos. Ambos gritamos e dissemos coisas pesadas um ao outro. No meio da disputa de gritos, ele saiu de casa batendo a porta. Quando ouvi a porta bater, caí em mim. Disse em alta voz: "Ah, Deus, o que eu fui fazer!". Esmagado pela culpa, sentei-me no sofá e chorei.

Karolyn se aproximou e tentou me confortar, dizendo: "O erro não foi seu. Ouvi tudo. Derek precisa aprender a respeitá-lo". Ela procurou me consolar, mas não é fácil consolar um pecador. Quando Karolyn saiu da sala, eu me ajoelhei ao lado do sofá e derramei o coração diante de Deus.

— Ah, Deus, acho que fui longe demais. Como pude gritar com o filho que tanto amo? Como pude dizer coisas tão horríveis a ele?

A resposta veio à minha alma alto e bom som:

— Você é um pecador.

Confessei meu pecado a Deus e aceitei seu perdão. Tenho profundo apreço por aquilo que Deus fez ao enviar seu Filho, que viveu sem mácula e tomou sobre si o castigo por nossos pecados a fim de que o Pai pudesse nos perdoar e nos aceitar como filhos.

Sentei-me no sofá e esperei. Não sei quanto tempo demorou, mas Derek finalmente voltou para casa. Quando ele entrou, eu o chamei:

— Derek, pode vir aqui, por favor? — Ele sentou-se em nossa cadeira dourada, e eu lhe pedi desculpas. — Quero me desculpar pelo modo como falei com você. Um pai nunca deve gritar com o filho. Reconheço que disse coisas dolorosas que não correspondem ao que sinto por você. Perdi a cabeça e falei algo diferente do que realmente penso. Eu o amo muito e peço que você me perdoe.

— Pai, o erro não foi seu. Fui eu quem comecei. Eu não devia ter gritado com você. Enquanto eu caminhava, pedi a Deus que me perdoasse.

Entre lágrimas, nós nos abraçamos e nos perdoamos. Então, sugeri:

— Por que não buscar um jeito melhor de lidar com a nossa raiva? E se tentarmos o seguinte: na próxima vez que você se sentir enfurecido comigo sobre qualquer coisa, basta dizer: "Pai, estou bravo. Podemos conversar?". Prometo parar o que estiver fazendo, ouvir o que você tem a dizer e tentar entender o motivo de sua ira. E, na próxima vez que eu me sentir enfurecido, farei o mesmo. Vamos ver se a gente consegue passar pela raiva com uma conversa em vez de gritar um com o outro.

Ele concordou, e foi ali que nós dois começamos a aprender como controlar a ira.

Aquela foi uma das noites mais tristes da minha vida, e também uma das mais felizes. Triste porque falhei com meu filho. Feliz porque notei que ele sabia pedir desculpas. Estar disposto a desculpar-se é um requisito para quem deseja bons relacionamentos. Dei-me conta de que, um dia, Derek também seria um marido e saberia pedir desculpas. Não precisamos ser perfeitos, mas devemos lidar efetivamente com nossos deslizes, o que inclui pedir desculpas e perdoar. Naquela noite, aprendi uma lição que vem me acompanhando por toda a vida.

Anos mais tarde, depois de ajudar muitos de meus clientes a compreender e processar o rancor, escrevi o livro *Ira! Aprenda a domar esta emoção*. Nele, abordo as origens da ira e faço distinção entre o que chamo de ira "fundamentada" e ira "distorcida"; também descrevo como lidar de maneira saudável com cada uma delas. Além disso, discorro sobre como podemos nos livrar da ira "duradoura" e o que devemos fazer quando nos sentimos irados com Deus pelo fato de ele não realizar o que achamos correto. Esse livro ajudou muitas pessoas a lidar com a ira de um modo que honra a Deus.

> Aquela foi uma das noites mais tristes da minha vida, e também uma das mais felizes. Triste porque falhei com meu filho. Feliz porque notei que ele sabia pedir desculpas.

Outro livro que se originou da minha experiência com Derek é *As 5 linguagens do perdão*, que escrevi com a Dra. Jennifer Thomas. Nessa obra, buscamos ajudar as pessoas a entender como desculpar-se de forma efetiva e experimentar o poder de cura do perdão genuíno. A capacidade que tenho de me solidarizar com clientes que lutam contra a ira e precisam da cura resultante do perdão e do pedido de desculpas nasceu da vivência com meu filho. Eu lhe agradeço, Derek, pelo papel que você desempenhou em minha jornada.

# Lições que aprendi com Clarence, meu filho espiritual

Não posso falar da influência de meus filhos em minha vida sem fazer menção a Clarence Shuler, um de meus filhos espirituais. Clarence é afro-americano, e eu o conheci quando ele tinha 14 anos; nossa vida está interligada desde então. No final dos anos 1960, conduzi reuniões de jovens que aconteciam às terças-feiras à noite numa igreja de brancos. À época, a integração escolar entre alunos negros e brancos ainda era uma prática incipiente no sul dos Estados Unidos. Certa noite, Clarence e seu amigo Russell adentraram o ginásio onde aqueles jovens e eu nos reuníamos. Tempos depois, vim saber que haviam sido convidados por alguns estudantes de nosso grupo. Ali estavam dois rostos negros em meio a uma centena de rostos brancos. Em razão do que vivenciei na infância, algo pelo qual sou grato, não hesitei em recebê-los de braços abertos. Daquela noite em diante, Clarence frequentou as reuniões regularmente, às vezes acompanhado de Russell, outras vezes de seu amigo James ou mesmo sozinho.

Chegada a primavera, Clarence participou de um retiro de jovens conosco. Foi ali que, aos 16 anos, ele entregou a vida a Cristo. Nunca vou me esquecer de que li para ele uma versão personalizada de João 3.16: "Porque Deus amou tanto Clarence que deu seu Filho único, para que, crendo nele, Clarence não pereça, mas tenha a vida eterna". Ele comentou: "O versículo não é assim". Expliquei que, ao se referir ao mundo, Deus estava falando de cada um de nós. Passado um tempo, Clarence afirmou: "Nunca havia me ocorrido que Jesus ama a mim em particular. Fiquei perplexo com isso! Naquela noite, pedi a Cristo que perdoasse meus pecados, entrasse em minha vida e me transformasse na pessoa que ele desejava que eu fosse. Dali em diante, toda a minha vida mudou. Tomei um novo rumo, pois sabia que eu era um verdadeiro cristão".

Foi naquela noite que Clarence se tornou meu filho espiritual. Quatro anos mais tarde, pude conhecer a mãe e a irmã de Clarence por ocasião da morte do pai dele. Acabei me tornando seu pai substituto, pois passávamos muitas horas juntos, orando e estudando a Bíblia. Ele era muito engajado no grupo de jovens e vem participando de tudo o que tenho feito desde então.

Algum tempo depois, Clarence ingressou na faculdade e no seminário e se casou. Hoje, ele e a esposa, Brenda, moram no Colorado e têm três filhas incríveis. Em 2019, ele escreveu comigo um livro destinado a jovens rapazes, intitulado *Choose Greatness*. A obra propõe que as escolhas que um moço faz na adolescência exercem enorme impacto em sua vida até o fim de seus dias. Assim, procuramos apoiar jovens rapazes a tomar decisões sábias e a evitar algumas armadilhas da sociedade moderna.

Clarence e Brenda têm paixão por ajudar os outros. Ela trabalha num centro cristão de apoio à gravidez, destinado a auxiliar jovens mães a fazer escolhas acertadas. Àquelas que optam por preservar os bebês, a instituição oferece treinamento parental e, se necessário, suprimentos básicos. Clarence trabalha como conselheiro para questões de relacionamento, atendendo tanto jovens quanto pessoas mais velhas. Seus escritos e palestras servem de apoio efetivo para muita gente.

Minha relação com Clarence impactou minha vida profundamente, e com ele tenho testemunhado o valor de amizades duradouras que superam fronteiras raciais. Eu adoraria ver milhares de brancos e negros experimentando o tipo de amizade que temos vivido ao longo desses anos. Com Clarence, descobri o que pode acontecer quando estamos dispostos a sair da zona de conforto e a aprender uns com os outros. Também conheci a importância de dedicar tempo para conhecer o outro. Enquanto Clarence cursava o ensino médio, ele frequentava nossa casa toda sexta-feira à noite e interagia com os estudantes. Fui muito encorajado pelo anseio que ele tinha por aprender e por fazer novos amigos. Senti-me fortalecido, ainda, ao observar Clarence e Brenda investindo na vida de suas filhas, Cristine, Michelle e Andrea, ao mesmo tempo que mantinham um ministério voltado a casais e jovens. Clarence escreveu muitos livros, e ele e Brenda palestram em conferências que a instituição cristã FamilyLife promove em todo o território dos Estados Unidos. Sim, no decorrer de nossa longa amizade, Clarence influenciou minha vida de maneira substancial.

# Ser avô é divertido

Devo acrescentar que, nos últimos anos, Karolyn e eu nos sentimos privilegiados por experimentar a alegria de ser avós de Davy Grace McGuirt e seu irmão, Elliott. Eles nos dão tanta felicidade! Ainda que não morem perto de nossa casa, passamos bastante tempo juntos. Ambos afirmam que, entre suas lembranças favoritas, estão aquelas relacionadas à semana que ficamos juntos na praia, todo verão. Temos preservado essa tradição desde que eles eram bem novinhos. Atualmente, os dois cursam faculdade, mas ainda mantemos contato. Nas tardes de domingo, Davy Grace telefona para a avó e elas botam a conversa em dia. Quando viajo, por vezes mando a Elliott fotos de lugares que ele provavelmente apreciaria.

Há alguns anos, Elliott e eu tivemos uma experiência inesquecível. Eu lhe perguntei:

— Se você pudesse visitar qualquer lugar do mundo, aonde gostaria de ir?

— À Amazônia brasileira.

Aquilo me pegou de surpresa. Contudo, comentei:

— Seria bem interessante.

Dois meses depois, recebi um *e-mail* do meu editor no Brasil perguntando o que eu achava de fazer uma série de conferências pelo país. Escrevi de volta dizendo: "Se for possível levar meu neto e se, encerradas as conferências, vocês conseguirem uma forma de eu passar dois dias com ele na Amazônia, eu vou". Eles concordaram, e lá fomos nós!

Ainda tenho fotos de Elliott segurando um filhote de jacaré e sendo abraçado por uma preguiça. Acredito que construir memórias com nossos netos é uma das maiores alegrias da vida.

Durante os anos em que meus filhos dividiram a casa comigo e com Karolyn, dediquei tempo a eles; nós nos divertimos juntos e conversamos abertamente sobre a vida, e sempre fui grato por isso. Em meu gabinete de aconselhamento, muitas vezes estive com pais e mães arrependidos por haverem gastado tempo demais no trabalho e muito pouco tempo em casa. Os filhos deles também se ressentem. Recordo-me de um jovem adulto que, no funeral de seu pai, me falou: "Eu não conheci meu pai. Ele estava sempre trabalhando ou jogando golfe. Nunca tinha tempo para mim". Saí dali com os olhos marejados.

Certa vez, o apóstolo João disse: "Eu não poderia ter maior alegria que saber que meus filhos têm seguido a verdade" (3Jo 1.4). Esse é o contentamento que sinto quando observo a vida de Shelley, Derek e Clarence, já adultos, bem como a de Davy Grace e Elliott, iniciando a vida adulta.

Atuando como conselheiro de muitos pais cujos filhos adultos lhes dão enorme tristeza por causa de escolhas ruins, percebo como sou extremamente abençoado por ter filhos e netos que andam na verdade e reproduzem o que procurei fazer ao longo dos anos: mover-me em amor a fim de oferecer apoio e esperança aos outros. Não há alegria maior.

Minha própria experiência e também a de outras famílias me motivaram a encorajar pais e mães a aproveitar ao máximo a infância e a adolescência de seus filhos. Nunca encontrei ninguém arrependido por investir tempo na família, mas já deparei com muita gente que se arrepende de não ter feito tal investimento. Passar tempo com os filhos me deu um profundo senso de gratidão; em razão disso, não demorei a aprender a importância da relação entre pais e mães e sua prole. Não fui um pai perfeito, mas busquei oferecer o máximo que podia e procurei aprender com meus erros também.

## O QUE APRENDI COM MEUS FILHOS

1. Que filhos são uma bênção recebida de Deus que não se compara a nenhuma outra.
2. Que meu exemplo é mais importante do que minhas palavras.
3. Que educar filhos foi algo que intensificou minha vida de oração.
4. Que a criação de filhos costuma trazer nossas mazelas à tona.
5. Que bons pais e boas mães aprendem a pedir desculpas.
6. Que Deus, nosso Pai, oferece o melhor modelo de educação de filhos.

SEÇÃO CINCO

# OS DESAFIOS E AS ALEGRIAS DE MINHA JORNADA VOCACIONAL

1967-Dias atuais

# Superando decepções

Depois que obtive o título de PhD no Seminário Teológico Batista do Sudoeste, Karolyn e eu nos colocamos oficialmente à disposição do Comitê Internacional de Missões da Convenção Batista do Sul; porém, fomos recusados. Nossa expectativa era lecionar no Seminário Teológico Batista da Nigéria, mais especificamente, treinar líderes naquele país. O motivo do indeferimento foi a saúde de Karolyn. Ela havia enfrentado sérios problemas físicos, pelo que o conselho alegou que não poderia nos enviar à Nigéria. Como se pode imaginar, foi emocionalmente penoso para nós lidar com essa recusa. Karolyn sentiu que estava me impedindo de ir para o campo missionário, e isso pesou fundo no coração dela. Ficamos muitíssimo desapontados, afinal de contas a missão fora a razão por que havíamos dedicado três anos àquele diploma de PhD. Por que Deus nos conduziria àquela formação acadêmica sabendo que as portas se fechariam para nós? Ou será que o comitê havia cometido um erro? Esses pensamentos nos consumiam.

No tempo devido, embora não houvesse respostas a tais perguntas, tomamos as rédeas de nossas emoções. Resolvi que, se não podia lecionar em outro país, talvez devesse fazer isso em minha terra natal. Candidatei-me a vagas de professor em 27 faculdades cristãs de toda parte dos Estados Unidos; não fui convocado por nenhuma. Então, alguém me recomendou a

Faculdade Bíblica Piedmont (hoje Universidade Carolina), em Winston-Salem, na Carolina do Norte. Procurei a instituição e fui admitido.

Assim, no outono de 1967, nós nos mudamos de Durham, outra cidade na Carolina do Norte, onde eu servira como pastor de jovens durante o verão, para Winston-Salem. Ali, não só me tornei professor como assumi o cargo de pastor associado na Igreja Batista Salem. O Dr. Charles Stevens, pastor local, era também o presidente da faculdade. Na igreja, trabalhei sobretudo com os jovens e, nos verões, dirigi o Acampamento Cristão Merriwood, que pertencia à igreja e era por ela administrado. Eu amava lidar com jovens; afinal, tinha apenas 27 anos naquela época.

Dei aulas em Piedmont durante três anos, onde lecionei Introdução à Sociologia, Psicologia e várias disciplinas da área de educação. Eu gostava de estar em sala de aula com os alunos; porém, as tarefas mais acadêmicas, como elaborar provas, ler artigos e participar de reuniões, não me agradavam nem um pouco. Comecei a achar que esse tivesse sido o motivo de não irmos à Nigéria. Talvez eu não levasse jeito para a coisa. Então, quando o Dr. Mark Corts, pastor da Igreja Batista do Calvário, uma congregação em expansão localizada no lado oeste da cidade, me perguntou se eu tinha interesse em me juntar a eles para implantar um ministério universitário e orientá-los quanto ao programa de educação de adultos que promoviam, fui receptivo à ideia. Pensei: "Eu poderei dar aulas para universitários sem ter de me preocupar com pormenores acadêmicos". Meus estudos para o título de PhD enfocaram a educação de adultos, especialmente a maneira como adultos aprendem. Depois de orar e refletir muito, a proposta me pareceu perfeita. Portanto, em abril de 1971, tornei-me pastor associado na Igreja Batista do Calvário, onde estou há cinquenta anos. Hoje sou pastor associado sênior, o que significa que sou o mais velho da equipe.

Embora eu integre a mesma equipe já há cinco décadas, minha atuação tem sido bem diversificada. Nos primeiros dez anos, dirigi o ministério universitário (do qual tratarei adiante). Em seguida, implantei e dirigi por dez anos nosso ministério de adultos solteiros (também falarei sobre isso). Ainda nesses vinte anos, orientei o ministério de discipulado de adultos, reunindo-me semanalmente com os professores não apenas para discutir as Escrituras, mas também para ajudá-los a desenvolver métodos de ensino efetivos. Implantei ainda o Instituto Cristão de Educação, que oferecia a adultos nas noites de domingo aulas de temas variados. Além disso, eu pregava quando o pastor Corts estava fora. Foram anos atarefados e produtivos.

A partir dos anos 1990, meu ministério se concentrou no aconselhamento conjugal e familiar, no ensino e treinamento de líderes leigos e na escrita; também me dediquei à preleção, tanto na igreja como ao redor do mundo. Nunca planejei orientar e aconselhar os outros, mas, quando comecei a lecionar sobre casamento e família, descobri que era nessa área que as pessoas experimentavam maior dor. Depois das aulas, elas me pediam para conversarmos em particular. Portanto, em certo sentido, fui incitado a aconselhar, e isso se tornou a parte mais expressiva de meu ministério. A maioria dos livros que escrevi resultou de minha atuação como conselheiro, numa tentativa de ajudar pessoas que eu nunca teria a oportunidade de receber em meu gabinete.

Houve duas ocasiões em que servi como pastor interino da Igreja Batista do Calvário. A primeira foi logo depois que o Dr. Corts teve de se aposentar por questões de saúde; servi como interino por um ano e três meses. A segunda foi quando o pastor Al Gilbert se transferiu para o Comitê de Missões Norte-Americano e assumi interinamente por dois anos, até que Rob Peters tornou-se pastor. Quando Peters saiu, fui indagado se queria exercer a função novamente, mas, como já estava com 80 anos, recusei. A vida é feita de estações, e a estação em que me encontrava não condizia com o serviço de pastor interino. Cada fase de meu ministério me impactou de modo significativo, tanto em termos pessoais quanto profissionais.

## O ministério universitário

Fiquei muito empolgado com a ideia de implantar um ministério universitário. Por diversas razões, para mim aqueles dez anos foram alguns dos mais produtivos no que diz respeito a influenciar jovens e ser influenciado por eles. Descobri que a Universidade Wake Forest, em nossa cidade, oferecia um programa de mestrado em Antropologia. Você deve se lembrar de que esse foi o curso que fiz na graduação. Pensei: "Vou me candidatar ao mestrado e, se me aceitarem, terei um motivo para ficar no *campus*: serei um aluno de pós-graduação". Assim fiz e assim foi.

Na condição de aluno do mestrado, procurei por um grupo de estudos bíblicos liderado por estudantes. Encontrei um e comecei a frequentar as reuniões. Como eu conhecia os alunos, eles me perguntaram o que eu achava de conduzir os estudos. Respondi: "Farei isso este semestre se concordarem que, no próximo, dois de vocês assumirão a liderança e, então, teremos dois grupos. Depois disso, eu me comprometo a acompanhar esses dois líderes e fazer o que estiver ao meu alcance para encorajá-los e apoiá-los". Eles concordaram. Assim, no semestre seguinte, havia dois grupos. Quando chegou o outono, passamos para quatro grupos. A essa altura, o objetivo era evidente: a cada semestre, dobraríamos a quantidade de grupo de estudos. Semanalmente, eu me encontrava com os líderes. Quando chegamos a 24 grupos, entramos em contato com a InterVarsity, organização nacional de ministérios estudantis, e perguntamos se gostariam de enviar alguém para dirigir nossos grupos. Eles aceitaram o convite, e até hoje a InterVarsity atua no *campus* da Wake Forest.

Foi nesse trabalho dentro da faculdade que vi, em primeira mão, o poder da multiplicação. Eu conhecia esse princípio desde a época em que acompanhei Jim Murk e os Navegadores, mas nunca o tinha visto operar na prática. A Jim e aos colegas Navegadores: muito obrigado por haverem plantado essa semente em mim. Vocês tiveram papel fundamental em minha trajetória de vida.

Além do ministério na faculdade, dei aulas para uma turma de universitários na Igreja Batista do Calvário, nos domingos pela manhã. O grupo era composto de alunos da Wake Forest e de outros que haviam crescido em nossa igreja e ingressado em instituições como a Universidade Estadual da Carolina do Norte, a Universidade da Carolina do Norte, a Universidade Duke e a Universidade Estadual dos Apalaches, entre outras, os quais todo mês passavam um fim de semana em casa. Sou muito grato a Stant e Debbie Senft e a Tom e Angel Chambers, que me auxiliaram nesse serviço. Stan era recém-graduado na Universidade Estadual da Pensilvânia e apaixonado pelo trabalho com universitários. No semestre letivo que coincidia com o outono, nós dois visitávamos todos os dormitórios masculinos da Wake Forest e convidávamos os rapazes para participar de nossas aulas. Nas manhãs de domingo, Tom e Angel se encarregavam de acolhê-los e providenciar lanches e bebidas. A turma chegou a contar com mais de cem alunos por semana.

Todo ano, eu dedicava doze semanas ao tema "preparação para o casamento". Nesses encontros, a frequência subia para cento e cinquenta alunos. A maioria deles acreditava que um dia se casaria e, portanto, estava disposta a aprender tudo o que pudesse acerca do que faz um casamento dar certo. Muitos haviam testemunhado o divórcio de seus pais e não queriam reproduzir tal modelo.

O primeiro livro que escrevi se originou desses estudos sobre casamento; publicado em 1979, teve como título *Toward a Growing Marriage* [Rumo a um casamento próspero]. O objetivo era ajudar os solteiros a refletir seriamente sobre o matrimônio e auxiliar os casados a descobrir os meios para cultivar uma relação conjugal saudável. Até hoje esse livro é impresso, sob o novo título *O casamento que você sempre quis*; essa edição é mais voltada àqueles que já estão casados. Tempos depois, escrevi outro livro, dessa vez para solteiros, intitulado *O que não me contaram sobre o casamento*, destinado à leitura e à discussão por quem pretende se casar ou está casado há no máximo três anos. Muitos pastores e conselheiros dão esse livro àqueles a quem oferecem aconselhamento pré-conjugal.

O terceiro aspecto de nosso ministério universitário já foi abordado aqui anteriormente. Toda sexta-feira à noite, por dez anos, abrimos nossa casa aos estudantes. Recebíamos de vinte a sessenta alunos por semana, muitos dos quais se assentavam no chão; a reunião ia das sete às nove da noite e funcionava no formato de perguntas e respostas sobre todo tipo de assunto. Embora eu não fizesse o papel de "sabe-tudo", nenhum tema era considerado inadequado: discutíamos abertamente qualquer dúvida que surgisse. Passadas duas horas, fazíamos uma pausa para lanchar *donuts* com Coca-Cola ou água. Em seguida, boa parte dos jovens permanecia em nossa casa por mais duas horas, conversando entre si ou comigo e com Karolyn. Às onze horas, sugeríamos encerrar a reunião. Esses encontros me deram profundo conhecimento acerca das dúvidas e dificuldades enfrentadas pelos universitários. Prover um local onde eles podiam sentir-se seguros para fazer perguntas sinceras me deixou muito satisfeito. Viajando pelos Estados Unidos para falar em seminários sobre casamento, por vezes fui abordado por casais de jovens adultos que me perguntaram coisas como:

— Você conhece Lisa (ou Tom) Anderson?

— Sim, eles frequentavam minha casa nas noites de sexta-feira — era a minha resposta.

— É minha mãe (ou meu pai) — comentavam.

O ministério universitário impactou minha vida de maneira extraordinária. Eu sabia que tocava a vida daqueles jovens e que, mais tarde, eles influenciariam outra geração. Foi assim que adquiri plena consciência de que, se eu estivesse disposto a me interessar por aqueles estudantes, eles se sentiriam livres para compartilhar suas alegrias e tristezas mais íntimas. Algo que percebo hoje é que estamos muito ocupados para enxergar as pessoas como indivíduos. Nós nos acostumamos com conversas superficiais e raramente conhecemos alguém de fato. Algumas amizades mais próximas de minha família começaram naquelas noites de sexta-feira em nossa casa. Ao final de cada encontro, Karolyn e eu ficávamos por duas horas à disposição dos estudantes, ouvindo-os e conversando com eles.

Uma das maiores satisfações na vida é contar com pessoas que realmente nos conhecem e, ainda assim, nos amam.

Muitas igrejas desprezam a oportunidade de ministrar a universitários. Uma das demandas emocionais mais profundas desses jovens é a necessidade de sentir que alguém se importa com eles. A solidão é um dos problemas emocionais mais sérios identificados nas universidades. Os alunos se juntam vindos de toda parte do mundo e se veem num lugar onde ninguém os conhece. Os que vêm de famílias amorosas comumente se aproximam de outros e fazem amizades, mas muitos se afundam nos estudos e, assim, ocupam a mente, embora o coração esteja vazio.

Deixe-me dizer algo breve: nossa demanda por estima não cessa quando nos formamos na faculdade. A despeito de quantos anos temos, todos precisamos nos sentir amados e valorizados. Uma das maiores satisfações na vida é contar com pessoas que realmente nos conhecem e, ainda assim, nos amam. A maioria dos adultos conhece muita gente, mas tem poucos amigos. Amizades se iniciam com uma simples conversa em que demonstramos interesse pela outra pessoa, fazemos perguntas sobre sua história, sua família e seus relacionamentos. Em geral, as pessoas abrem o coração quando estão convencidas de que o outro se importa genuinamente com elas.

Quando olho para meu ministério com os universitários, tenho ótimas recordações. Servir a eles influenciou demais a minha vida.

## O ministério com adultos solteiros

Encerrada aquela temporada de tantos anos com os universitários, o Dr. Corts me perguntou se eu estava disposto a entregar o cargo a outro membro da equipe pastoral e a dedicar tempo à implantação de um ministério para adultos solteiros. Ele se referia aos jovens profissionais que já haviam encerrado a graduação e ocupavam o "mundo real":

— Não há na cidade nenhum ministério voltado a adultos solteiros, e acho que você é a pessoa apropriada para fazer isso.

Relutante, hesitei:

— Não sei. Adoro trabalhar com universitários. Não estou certo de que tenho interesse nessa mudança.

— Bem, reflita e ore sobre isso — respondeu ele.

Foi o que fiz durante um ano. Refleti muito e orei muito. Por fim, concordei. Tínhamos na equipe alguém que eu julgava preparado para continuar o ministério com os estudantes; então, em 1981, dei um passo na direção de um novo trabalho sem saber o que estava por vir.

Como alcançar adultos solteiros? Essa foi minha primeira pergunta. Depois de orar e falar com os poucos solteiros que eu conhecia, a decisão foi iniciar um "Espaço para Solteiros" nas noites de terça-feira, reunindo-nos na ampla sala de jantar da igreja. Começamos com 25 pessoas e, em seis meses, já contávamos com 150 semanalmente.

O formato era simples. Oferecíamos lanches quando o pessoal chegava. As portas se abriam às seis e meia da noite; às sete, eu reunia o grupo para uma exposição de meia hora sobre algum tema relevante. Em seguida, os participantes se dividiam em subgrupos de nove ou dez integrantes e discutiam o assunto que eu abordara. Por volta das oito e quinze, eu encerrava o debate com uma oração. Depois disso, eles ficavam à vontade para sentar e conversar, brincar com jogos de tabuleiro, comer mais lanches ou mesmo ir embora. Terminávamos o encontro às dez da noite. No intervalo entre o fim do debate e o término da reunião, eu ficava conversando com aqueles que me procuravam com dúvidas sobre o tema da noite ou queriam partilhar comigo sua jornada pessoal.

O que eu não previa era que cerca de metade dos frequentadores seria composta de "novamente solteiros", isto é, separados ou divorciados que tentavam atravessar suas dores e conflitos. Sim, havia jovens profissionais que nunca tinham se casado, mas os que já tinham passado por um casamento chegavam com questões totalmente diferentes. O primeiro desafio foi saber como escolher temas que fossem comuns a esses grupos. Logo descobri que, como humanos, todos temos necessidades básicas muito semelhantes, quer casados quer solteiros. Sentir-se amado, considerado, seguro, valorizado e bem-sucedido é algo de que todo ser humano precisa. O que aconteceu foi que o grupo dos que nunca haviam se casado e o dos "novamente solteiros" começaram a ouvir um ao outro durante os debates. O primeiro aprendia com o segundo o que funciona e o que não funciona no casamento. Os grupos trocavam conhecimento, e percebi que havíamos criado um ambiente sem igual. Em que outro

Sentir-se amado, considerado, seguro, valorizado e bem-sucedido é algo de que todo ser humano precisa.

lugar aqueles dois grupos poderiam interagir de maneira tão significativa? Foi uma bela experiência.

Meu segundo livro resultou desse ministério. Intitulado *Esperança para os separados*, ele se destinou àqueles que estavam separados do cônjuge, mas ainda não tinham se divorciado. Na Carolina do Norte, marido e esposa só podem requerer o divórcio depois de passar um ano separados. Em minha opinião, essa é uma ótima lei: ela força o casal a gastar tempo observando de forma realista como será a vida após o divórcio. Acredito que muitos desses casamentos podem ser restituídos se os casais receberem apoio adequado. A edição mais recente dessa obra recebeu o título *One More Try: What to Do When Your Marriage Is Falling Apart* [Uma nova tentativa: O que fazer quando seu casamento está desmoronando] e já contribuiu para a reconciliação de muitos casais. Eu jamais o teria escrito se não tivesse passado uma década envolvido com o ministério de solteiros. Sou grato a todos que partilharam a vida comigo naqueles encontros.

# O ministério de aconselhamento

Como já foi dito, eu nunca tive a intenção de me dedicar ao ministério de aconselhamento. No seminário, frequentei todos os cursos de aconselhamento disponíveis porque eu sabia que se espera dos pastores que aconselhem os membros de sua igreja. Nunca pensei que isso se tornaria parte considerável de meu ministério. Todavia, já estou há mais de trinta anos ouvindo indivíduos e casais que se sentem à vontade para dividir comigo seus maiores sofrimentos. São milhares de pessoas.

Nos primeiros anos, enfrentei muita dificuldade, pois eu internalizava a dor que os outros sentiam. Eu voltava para casa à noite com a cabeça e o coração ocupados por aquelas histórias. Muitas vezes, acordei na madrugada com a mente repetindo o que eu ouvira durante o dia. Como bem sabe quem aconselha, isso não é saudável nem para o conselheiro nem para sua família. Eu sabia que precisava encontrar uma solução; do contrário, não poderia continuar aconselhando. Então, clamei a Deus por socorro: "Senhor, como devo lidar com isso? Não consigo carregar esse fardo!".

Uma pergunta me ocorreu: "Ao carregar a dor dessas pessoas em seu coração, você as está ajudando?". Eu sabia que a resposta era "Não". Aquilo só me machucava e me impedia de ser o marido e o pai que eu precisava ser. Assim, com a ajuda de Deus, aprendi a entregar as pessoas a ele no momento em que deixavam meu gabinete. Enquanto estava com elas, eu lhes oferecia toda a atenção: escutava com muita empatia e pedia a Deus sabedoria para ajudá-las. Orava com elas antes que fossem embora e as deixava ao encargo de Deus até a sessão seguinte; era certo que ficariam em boas mãos. Essa foi uma lição e tanto para mim. Eu não teria condições de continuar aconselhando se não a tivesse aprendido.

> Com a ajuda de Deus, aprendi a entregar as pessoas a ele no momento em que deixavam meu gabinete.

Sentia-me muito satisfeito por ajudar aqueles a quem oferecia conselhos. Auxiliar as pessoas a compreender a si mesmas e a tomar decisões que as levam a relações frutíferas e a uma vida próspera é algo extremamente recompensador. Quero dar um exemplo disso.

Recentemente, visitei um homem numa clínica de cuidados paliativos. Quando abri a porta do quarto, ele disse:

— Dr. Chapman, que bom que você veio! Minha esposa e eu estávamos falando do meu funeral, e estou certo de que você pode nos ajudar.

Peguei papel e caneta e comecei a tomar nota enquanto eles dividiam comigo suas ideias. Ao final da visita, propus uma oração:

— Bem, antes de ir embora, vou orar por vocês.

Fiquei em pé e segurei a mão esquerda dele. A esposa ficou do outro lado da cama e lhe segurou a mão direita. Estendi o outro braço e segurei a mão dela também.

Depois de orar, soltei as mãos deles. Ele, porém, levou a mão da esposa até o rosto e a beijou. Ao ver isso, não consegui conter as lágrimas, pois lembrei que, 35 anos antes, em meu gabinete, eles haviam dito:

— Não há a menor esperança para nosso casamento. Muita coisa aconteceu, e essa situação já se prolongou demais. Viemos aqui porque um amigo nos disse que deveríamos falar com você, mas queremos deixar claro que não vemos nenhuma possibilidade de ficar juntos.

Após ouvir a história deles, demonstrei compreendê-los:

— Não vou perguntar se vocês "querem" cuidar do casamento. Está evidente que já passaram da fase do "querer". Então, o que pretendo perguntar é: "Vocês vão cuidar disso?". — Ao longo dos anos, mostrei essa diferença aos casais. "Querer cuidar" é algo do campo das emoções; "cuidar" é do campo da razão. Não escolhemos nossas emoções, mas nossas atitudes, sim. Então, continuei: — Caso decidam cuidar de seu casamento, eu vou me juntar a vocês, e veremos o que acontece.

O ministério de aconselhamento me manteve em contato com a realidade das relações fragilizadas e despedaçadas.

Com relutância, concordaram. Nove meses depois, entraram em meu gabinete de mãos dada e disseram:

— Jamais sonhamos ser possível experimentar essa felicidade de novo!

E agora ali estavam eles, uma década e meia mais tarde, terminando a jornada juntos.

Saí do quarto orando: "Ó Senhor, como eu gostaria que todo casal chegasse assim ao fim da estrada". Nem todo aconselhamento termina em reconciliação, mas, quando ela acontece, traz enorme satisfação tanto ao conselheiro quanto ao casal.

O ministério de aconselhamento me manteve em contato com a realidade das relações fragilizadas e despedaçadas. Às vezes, nós, pastores, sucumbimos a frases feitas ao mesmo tempo que falhamos em relacionar verdades bíblicas à vida cotidiana. Aconselhar pessoas me manteve fincado no mundo real.

## O ministério de escrita

Por um lado, nunca me imaginei como autor; por outro, escrever se tornou parte significativa de meu ministério nas três últimas décadas. Quase todos os livros que escrevi nasceram de minha atuação como conselheiro. Já explicitei aqui como descobri as cinco linguagens do amor e como elas afetaram profundamente meu casamento. Claro, escrevi *As 5 linguagens do amor* na expectativa de que outros casais vivenciassem a transformação de seu casamento tanto quanto muitos de meus clientes haviam experimentado depois de descobrir e começar a falar a linguagem do amor de seus cônjuges. A prática me fez ter noção de quão impactante podia ser o conceito de linguagens do amor, mas eu jamais previ o que viria a acontecer quando o livro foi lançado, em 1992.

Mal sabia eu que, nas duas décadas seguintes, essa obra venderia mais e mais a cada ano. No momento em que escrevo este capítulo, as vendas de *As 5 linguagens do amor* ultrapassam trinta milhões de exemplares em língua inglesa, ou seja, sem contar as traduções para mais de cinquenta idiomas ao redor do mundo. As pessoas me perguntam:

— Como você explica isso?

Ao que respondo:

— Em resumo, é Deus. Em detalhes, é Deus.

Em termos humanos, acho que é isto o que acontece: os casais têm o casamento transformado por essa leitura e, então, desejam que seus irmãos, irmãs e amigos leiam também. De uma pessoa a outra, o livro se espalhou pelo mundo.

Em meus seminários sobre casamento, os casais costumam dizer: "Aquele livro sobre linguagens do amor nos salvou. Durante a leitura, as luzes se acenderam e nos demos conta de quanto havíamos nos afastado emocionalmente um do outro no decorrer dos anos. Descobrimos nossas linguagens do amor e tentamos praticá-la, e isso literalmente salvou nossa relação". É esse tipo de comentário que me motiva a continuar escrevendo.

O que mais me surpreendeu foi quando o livro começou a atravessar fronteiras culturais. Por haver estudado antropologia cultural, eu me mantive atento às diferenças de uma cultura para outra. Quando um editor na Espanha quis comprar os direitos de publicação do livro em espanhol, eu disse ao pessoal da Moody, minha editora nos Estados Unidos:

— Não sei se o texto vai funcionar na cultura espanhola. Foi nos Estados Unidos que esse conceito me ocorreu. E se não funcionar em espanhol?

— Eles já leram o livro e querem publicá-lo — responderam.

— Então, vamos adiante.

O livro se tornou *best-seller* nos países de língua espanhola. O mesmo aconteceu com as edições alemã e francesa, entre outras. Em muitos países, ele se tornou o campeão de vendas das editoras locais.

Sendo humanos, nossa necessidade emocional mais profunda é a de nos sentirmos amados pelas pessoas que têm relevância em nossa vida. Compreender a linguagem do amor do outro nos ajuda a atender a essa necessidade de maneira mais efetiva. Quando pais e mães descobrem e falam a principal linguagem do amor de seus filhos, há grandes chances de testemunharem uma mudança positiva no comportamento das crianças. Com frequência, digo a quem tem filhos: "A questão não é se você ama seus filhos. A questão é se seus filhos se sentem amados por você". O conceito de linguagem do amor se aplica a todas as relações humanas. Evidentemente, o amor não é o único ingrediente das relações saudáveis, mas, a meu ver, é a pedra fundamental.

Creio que nosso anseio por amor e nosso desejo de expressar amor derivam do fato de sermos feitos à imagem de Deus, que nos ama incondicionalmente. Escrevi um livro intitulado *As linguagens do amor de Deus*, no qual demonstrei que Deus fala as cinco linguagens e que tendemos a ser atraídos ao amor divino quando o percebemos expresso em nossa principal linguagem do amor. Trata-se de um estudo fascinante sobre como Deus nos ama e como reagimos a esse amor.

Além da série Linguagens do Amor, escrevi sobre muitas outras questões relacionais discutidas no gabinete de aconselhamento. Sempre me perguntam:

— Quantos livros você já escreveu?

Honestamente, respondo:

— Não sei.

Em algum momento, perdi a conta e nunca voltei para refazê-la. (Meu editor nos Estados Unidos prometeu listar todos os meus livros ao final desta obra. Então, fico feliz que eles façam a conta por mim.) A mim, só cabe ficar maravilhado com o modo como Deus tem usado esses livros para tocar e transformar a vida de tanta gente.

Depois do sucesso de *As 5 linguagens do amor*, muitas editoras de outros países começaram a publicar os outros títulos também. A cada trimestre, tais editoras nos enviam cópias das novas edições; então, Karolyn e eu oramos por esses países e pedimos a Deus que os livros alcancem e transformem muitas vidas. Certa noite, poucos anos atrás, enquanto eu abria uma dessas remessas, avistei Karolyn sentada no sofá e percebi que ela estava chorando.

— O que houve de errado? — perguntei.

— Não houve nada de errado. Eu só estou lembrando que queríamos ser missionários, e agora seus livros estão espalhados por todo o mundo.

Aquele foi apenas um dos tantos momentos marcantes em que nós dois nos demos conta de que os planos de Deus são sempre melhores — e, por vezes, maiores — que os nossos. Lá no começo, quando o comitê de missões recusou nos enviar, eu nem sequer sonhava que serviríamos a outros países por meio dos livros, e não pessoalmente.

Uma das coisas que me alegram na escrita é contar com a coautoria de pessoas mais experientes que eu em determinadas questões relacionais. São exemplos disso os seguintes títulos: *Keeping Love Alive as Memories Fade: The 5 Love Languages and the Alzheimer's Journey* [Mantenha o amor vivo enquanto as memórias se esvaem: As 5 linguagens do amor e a travessia do Alzheimer]; *Sharing Love Abundantly in Special Needs Families* [A expressão do amor abundante em famílias com necessidade especiais]; *Holding On to Love After You've Lost a Baby* [Firmando-se no amor após a perda de um bebê]; *Building Love Together in Blended Families* [A cooperação para o amor em famílias reconstituídas]; *A criança digital: Ensinando seu filho a encontrar equilíbrio no mundo virtual*;

Naqueles primeiros dias, quando o comitê de missões recusou nos enviar, eu nem sequer sonhava que serviríamos a outros países por meio dos livros, e não pessoalmente.

*As 5 linguagens do perdão*; e *Faça você mesmo: Guia prático para reformar sua família*. Minha vida foi enriquecida quando adentrei o mundo de meus coautores e aprendi com a vivência e a perícia de cada um. A influência deles contribuiu para que eu me tornasse quem sou, e agradeço imensamente por isso.

Não posso falar de meu ministério como escritor sem expressar enorme gratidão à Equipe Chapman da Editora Moody. Meu primeiro livro editado por eles saiu em 1979. Ao longo dos anos, o pessoal da editora se tornou minha família estendida. É difícil acreditar que, por mais de quarenta anos, temos caminhado juntos, esforçando-nos em prol do casamento e das relações familiares. Sim, todos desse time têm sido importantes para meu trabalho e minha vida.

## O ministério de rádio

Quando a Rede de Radiodifusão Moody pediu que eu considerasse a ideia de fazer um programa de rádio, minha primeira reação foi:

— Não sei, não. Sou um conselheiro; não me vejo como radialista.

— O que acha de dividir o programa com um ótimo apresentador? — responderam.

— Nesse caso, estejam certos de que vou orar sobre o assunto.

Duas semanas depois, eles me procuraram novamente dizendo:

— E se Chris e Andrea Fabry concordarem em apresentar o programa com você?

— Nesse caso, estejam certos de que vou orar sobre o assunto — devolvi.

Chris e Andrea Fabry não me eram estranhos; eles haviam apresentado programas de rádio durante muitos anos. Eu conhecia o trabalho deles e sabia que eram incríveis. Então, disse a Deus: "Muito bem, se Chris e Andrea concordarem, vou tomar isso como sinal de que devo ao menos experimentar essa coisa de programa de rádio". Assim foi e assim fiz. Atualmente, somamos mais de doze anos trabalhando juntos. "Edificando relacionamentos com o Dr. Gary Chapman", nosso programa semanal de uma hora de duração, já é parte da minha vida.

A tecnologia moderna me deixa admirado. Durante as gravações, fico em meu estúdio na Carolina do Norte; Chris e

Andrea ficam no Arizona; e Steve Wick, responsável pela gravação e também pela produção do programa, fica em Chicago. Steve também se encarrega de telefonar para o autor convidado, que geralmente mora em outro estado. Steve realiza suas mágicas, e, quando o programa é transmitido, parece que estamos todos na mesma sala, com exceção do autor que nos acompanha a cada programa. Sempre aprecio muito a interação com os convidados, com quem discutimos questões relacionais importantes.

Mensalmente, gravamos uma edição chamada "Querido Gary". No decorrer do mês, os ouvintes telefonam para a emissora e deixam perguntas gravadas. Chris define a ordem em que abordaremos essas perguntas, e eu peço a Deus sabedoria para oferecer conselhos úteis. Já me perguntaram se eu ouço as perguntas antes da gravação do programa e se me preparo de antemão para responder a elas. Raramente ouço uma pergunta que ainda não ouvi no gabinete de aconselhamento. Sei, é claro, que, se eu seguir pela "trilha errada" durante uma resposta, Chris estará por ali para me interpelar e pedir que eu explique melhor. Agora você já sabe por que eu amo trabalhar com ele!

Pouco depois de iniciarmos nosso programa semanal, perguntaram-me o que eu achava de apresentar um miniprograma diário de um minuto de duração. Depois de orar, aceitei a proposta, e começamos a gravar "Minuto Linguagem do Amor", cujos roteiros eu mesmo escrevo. Ao longo de uma semana, o foco desse conteúdo diário recai sobre o tema de algum de meus livros sobre relacionamentos. Às vezes, quando os releio, digo a mim mesmo: "Isso é ótimo! Fui eu que escrevi?". Gosto de saber que meus livros cumprem essa dupla função, sendo úteis tanto para leitores quanto para ouvintes de rádio. Repito: tenho profunda admiração por Steve Wick, que também produz o "Minuto Linguagem do Amor".

Esses dois programas são transmitidos por mais de quatrocentas emissoras. Uma coisa que aprendi com o ministério de rádio foi a importância do trabalho em equipe; seria impossível realizar tudo isso sem Chris, Andrea e Steve, cada qual com habilidades próprias que definitivamente não tenho. Quando juntamos essas habilidades e trabalhamos como um time, produzimos programas usados por Deus para encorajar os ouvintes. A maneira como Deus faz uma voz chegar por rádio a uma pessoa que passa por dificuldade, levando a ela auxílio e esperança, também me deixa fascinado. No decorrer de todos esses anos, muita gente comentou que descobriu um de nossos programas "acidentalmente" enquanto dirigia e, por meio de algo que eu falava, ouviu Deus responder a uma situação que lhe era muito particular. Foi quando percebi que o principal integrante de nossa equipe de rádio era o próprio Deus. É por isso que falamos com ele antes de cada gravação, pedindo que nos dê sabedoria, torne a mensagem apropriada à audiência e cumpra os propósitos dele.

> Ao escrever roteiros para o programa de rádio, gosto de revisitar meus livros à procura de ideias. Às vezes, quando os releio, digo a mim mesmo: "Isso é ótimo! Fui eu que escrevi?".

Quando o povo de Deus se reúne e se une a Deus, coisas incríveis acontecem. Acredito ser esse o sentido de igreja. O apóstolo Paulo descreve essa realidade em 1Coríntios 12. Temos, todos nós, dons espirituais distintos oferecidos por Deus. Ninguém é capaz de fazer tudo, mas, quando cada um de nós faz sua parte, os planos divinos se cumprem. Nunca nos esqueçamos de que todo integrante da família de Deus tem um papel a desempenhar. Nosso maior bem é participar da equipe do Pai.

# O ministério como conferencista nos Estados Unidos

As pessoas frequentemente me perguntam se gosto de escrever. Minha resposta sincera é algo com que muitos autores concordarão: "Gosto de ter escrito". A disciplina requerida pela escrita nem sempre é agradável; os resultados da dedicação a ela é que me mantêm escrevendo. Saber que os livros chegarão aonde eu jamais estarei e falarão ao coração de pessoas que nunca verei pessoalmente ainda me motiva.

Entretanto, quando se trata de dar palestras, aí eu gosto de verdade. Gosto do encontro face a face, de ver sorrisos e lágrimas, de falar com as pessoas depois (ou antes) de fazer uma preleção. Gosto de interagir com pessoas reais e ouvir sobre suas jornadas.

Quando nossos filhos eram menores, eu não viajava para palestrar. É claro que, naquela época, talvez eu nem mesmo tivesse algo a dizer. Ainda estava no processo de aprender, evoluir, ouvir. Porém, de 1990 para cá, meu ministério como conferencista se expandiu. Costumam me indagar:

— Você gosta de viajar?

A resposta é:

— Não me importo. Quando estou no avião, ou leio, ou durmo, e gosto das duas coisas.

Evidentemente, existem as "sessões de aconselhamento" ocasionais quando alguém descobre que sou conselheiro. Há pouco tempo, disseram-me:

— Você deve conhecer bem o país.

— Conheço tudo o que fica entre o aeroporto e o local onde vou falar — devolvi.

O que me empolga não é a viagem em si, mas a oportunidade de dividir com as pessoas ideias que certamente vão enriquecer a vida delas.

Minha carreira como preletor, para além da minha comunidade local, começou na década de 1980, quando fui convidado para falar no Tabernáculo de Billy Sunday, em Winona Lake, Indiana. Tratava-se de uma conferência de uma semana, patrocinada pelo Instituto Bíblico Moody. Fiz preleções todos dias na parte da manhã. Ao final da semana, Jim Gwinn, assistente do Dr. George Sweeting, presidente do Moody, perguntou se eu aceitava dar palestras representando o Instituto. Fiquei atônito com a pergunta, mas me coloquei à disposição. Durante alguns anos, promovemos diversas conferências da FamilyLife em todo o país. Elas começavam num domingo pela manhã, ou à noite, e se estendiam até a noite da quarta-feira seguinte, percorrendo cinco igrejas em cada cidade. Éramos cinco preletores que se alternavam nas igrejas, de modo que passávamos por todas elas. Eu nunca tinha visto nada nesse formato e jamais tornei a ver. Jim Gwinn se encarregava de planejar e coordenar os eventos. Um dos pontos altos era que nós, os palestrantes, almoçávamos juntos todos os dias, e foi assim que conheci Mel Johnson (da emissora de rádio Tips for Teen [Dicas para adolescentes]), Greg Speck (especialista em juventude), Harold Sala (da emissora de rádio Guidelines for Living [Diretrizes para a vida]) e Seven Bly (caubói de Idaho autor de vários romances e também de livros sobre relações familiares). Recentemente, conversei com Jim Gwinn e demos boas risadas juntos lembrando das conversas ao redor daquelas mesas.

Em 1986, centenário do Instituto Bíblico Moody, fui convidado a juntar-me a Jim e ao Dr. Kevin Leman para palestrar em diversas cidades, mais especificamente em almoços para pastores. A intenção era celebrar o que Deus havia feito naqueles cem anos, bem como procurar fortalecer e encorajar os pastores quanto a suas próprias relações em família. Kevin e eu já nos conhecíamos, pois, às vezes, ele se juntava à equipe nas conferências da FamilyLife, de que falei antes. Kevin é psicólogo e escreveu vários livros sobre relacionamento familiar; além disso, é muito bem-humorado. Nunca vou me esquecer de algo que vivenciamos nessa série de palestras.

Estávamos na Flórida, onde Kevin ilustrara como pais e mães devem ensinar aos filhos que toda decisão tem consequências. A ilustração fora mais ou menos assim:

> Joãozinho chega à mesa do jantar, olha para a comida e diz:
>
> — Eca! Não gosto disso.
>
> A mamãe comenta:
>
> — Tudo bem, querido. Não precisa comer. Vá brincar e correr por aí.
>
> Então, Joãozinho sai em disparada. Uma hora depois, ele volta:
>
> — Mamãe, estou com fome!
>
> Ao que a mãe responde:
>
> — Ah, mas é claro, docinho! Será que isso tem alguma coisa a ver com o fato de você não ter jantado? Vá brincar e correr. Amanhã cedo teremos o café da manhã.

Kevin afirmou: "A criança só perderá a refeição uma vez. E isso não vai matá-la".

Pois bem. Quando o almoço foi servido aos pastores e aos conferencistas, o prato era peixe. Kevin não gostava daquele peixe em específico, então ficou sem comer. À tarde, viajamos de carro até a próxima cidade onde promoveríamos almoços para pastores. Jim estava ao volante; eu, no banco do passageiro; e Kevin, no banco de trás. Por volta das três horas, Kevin disse:

— Jim, caso você veja alguma lanchonete, podemos parar rapidinho? Estou com fome.

Jim respondeu de imediato:

— Ah, mas é claro, docinho! Será que isso tem alguma coisa a ver com o fato de você não ter comido seu almoço?

Jim não parou nenhuma vez, e todos jantamos juntos naquela noite. A moral da história é que conferencistas devem estar dispostos a viver de acordo com os princípios que ensinam. Deus nos ajude!

Quero registrar especial agradecimento a Jim Gwinn pelo que significou em minha vida pessoal e profissional. A exemplo dele, continuei dando palestras em nome do Instituto Moody sob a liderança de Jim Wick, Jim Jenks, Rick Pierce, Calvin Robinson e Kevin Utecht. Cada um deles teve sua relevância para meu ministério como conferencista. Deus os usou para abrir portas que, de outro modo, eu jamais teria adentrado.

Quando Karolyn e eu voltamos para casa após a Conferência Moody em Winona Lake, Indiana, ela me contou que, numa daquelas tardes, ela se sentara sozinha no interior do Tabernáculo de Billy Sunday para passar algum tempo meditando com Deus: "Enquanto eu estava sentada ali, na companhia de Deus, tive a nítida impressão de que ele usaria você de maneira especial junto ao Instituto Bíblico Moody. Eu não fazia ideia de como seria, mas, em meu coração, sabia que você representaria o instituto". Observando em retrospecto, sei que Karolyn tinha certeza daquilo. Minha relação com a Editora Moody, a Rádio Moody e o Ministério de Conferências Moody exerceu papel fundamental em minha vida.

A meu ver, dentre as oportunidades que tenho de palestrar, as mais produtivas são as da série de conferências Sábados sobre Casamentos, que promovo sob a tutela da Editora Moody. Nessas ocasiões, abordo cinco tópicos: "Resolução de conflitos sem briga", "As 5 linguagens do amor", "O início de uma mudança positiva", "Sexo como fonte de prazer mútuo" e "Como falar de coisas que nos deixam aborrecidos". Também compartilho a boa notícia que revela o lugar de Deus na equação do casamento. Anualmente, participo de quinze dessas conferências, e em todas elas encorajo as pessoas a receberem Cristo em sua vida. Nada é mais importante do que nosso relacionamento com o Senhor.

> Enquanto eu palestrava na Prisão Angola, em Louisiana, um jovem se levantou e disse: "Pela primeira vez na vida, entendi que minha mãe me ama. Só não me dei conta disso porque ela não falava minha linguagem do amor. Mamãe me ama! Mamãe me ama!".

Um episódio que ficará marcado para sempre em meu coração ocorreu durante uma palestra na Prisão Angola, em Louisiana. Todos os homens dali cumpriam prisão perpétua. Eu lhes disse que tentaria ajudá-los a entender por que se sentiram, ou deixaram de se sentir, amados quando crianças. Então, apresentei o conceito das linguagens do amor naquele contexto. Em seguida, na sessão de perguntas e comentários, um jovem se levantou e disse: "Quero agradecer a você por ter vindo, pois, pela primeira vez na vida, entendi que minha mãe me ama. Quando você falou sobre as linguagens do amor, reconheci que minha linguagem do amor é toque físico, mas minha mãe nunca me abraçou. O único abraço que recordo ter recebido dela foi quando eu estava a caminho da prisão. Mas hoje percebo que a linguagem dela era atos de serviço. Ela era mãe solteira e tinha dois empregos: botava comida na mesa, lavava minhas roupas, passava minhas camisas a ferro. Era tudo por amor. Só não me dei conta disso porque ela não falava minha linguagem do amor. Agora sei disso. Mamãe me ama! Mamãe me ama! Mamãe me ama!".

Naquele momento, lágrimas corriam pelo rosto do rapaz e, devo admitir, meus olhos também estavam cheios delas.

Ao aconselhar jovens que não têm relação próxima com seus pais, costumo recorrer a esse episódio para ajudá-los a entender por que não se sentiam amados por seus genitores. Com frequência, eles olham para trás e percebem que, sim, seus pais os amavam, mas expressavam amor por meio de uma linguagem diferente. Muitos desses jovens se reconciliaram com seus pais quando se dispuseram a apresentar-lhes o conceito de linguagem do amor e a relatar que haviam compreendido mal suas expressões de afeto. Portanto, agradeço ao colega da Prisão Angola por me influenciar de maneira tão poderosa.

Outro campo de atuação que me impacta profundamente é a oportunidade de falar em diversas bases militares, tanto nos Estados Unidos quanto em outros países. Tudo começou quando recebi um *e-mail* do capelão Christopher Dickey, alocado no Afeganistão. Ele me perguntou se eu estava disposto a ir até Fort Bragg, base situada em Fayetteville, na Carolina do Norte, para ministrar a cônjuges de soldados transferidos para aquele país. A ideia era que eu lhes apresentasse a mensagem das cinco linguagens do amor; caso eu concordasse, o capelão daria um jeito de conseguir uma conexão por satélite a fim de que os soldados também assistissem à palestra. Isso foi antes de haver Zoom, Skype etc. (As coisas eram diferentes nos anos 1990.) Concordei e, poucas semanas depois, segui de carro para Fort Bragg acompanhado de Karolyn. O auditório comportava duzentos e cinquenta pessoas, pelo que foram necessárias três sessões: sexta-feira à noite, sábado pela manhã e sábado à tarde, todas com lotação máxima. No Afeganistão, sob uma enorme tenda branca, cada soldado acompanhou a sessão de que seu cônjuge participou.

Ao final de cada apresentação em Fort Bragg, os organizadores do evento disponibilizaram uma sala na qual cada participante pôde conversar em particular com seu cônjuge durante cinco minutos. Algumas esposas levaram bebês que haviam nascido depois do destacamento dos pais, ou seja, foi ali que esses homens viram seus filhos pela primeira vez. Karolyn e eu ficamos no corredor cumprimentando os participantes assim que saíam dessa sala — em geral, saíam chorando. Foi uma experiência muito comovente, algo que nunca vou esquecer. Depois desse evento, passei a ser convidado para visitar outras bases militares. Tempos mais tarde, a pedido de vários capelães, juntei-me a Jocelyn Green, esposa de militar, e escrevi *As 5 linguagens do amor: edição militar*, que enfatiza o uso das linguagens do amor nesse contexto específico. Em vista disso, agradeço ao capelão Dickey por fomentar meu ministério entre militares e respectivos cônjuges. Esse é um trabalho que aprecio muito.

Quanto a falar para grupos diversos, percebi que, na maioria dos ambientes não religiosos, os organizadores dos eventos esperam que sejamos autênticos.

Nos últimos anos, tive várias oportunidades de discursar para grupos de profissionais e outros ajuntamentos não religiosos. Comumente, querem que eu fale sobre as linguagens do amor, ou sobre *As 5 linguagens da valorização pessoal no ambiente de trabalho*, livro que escrevi com o Dr. Paul White. Diversas instituições de ensino me propuseram falar a pais e mães, com base em *As 5 linguagens do amor das crianças* e *As 5 linguagens do amor dos adolescentes*, ou a professores, pautado em *Discovering the 5 Love Languages at School* [Descobrindo as 5 linguagens do amor na escola], que escrevi com o conselheiro escolar D. M. Freed. Em contextos seculares, sempre respeito o pedido de não ser "religioso". Claro que se, durante as perguntas do público, alguém me questiona de onde vem minha motivação para amar, eu respondo honestamente, isto é, afirmo que vem do meu relacionamento com Cristo, como já foi dito. Percebi que, na maioria dos ambientes não religiosos, os organizadores dos eventos esperam que sejamos autênticos; afinal, quando me convidam, eles sabem que sou pastor.

# O ministério como conferencista internacional

Dar palestras em contextos culturais diferentes do nosso é sempre um enorme desafio. Primeiro, há a viagem em si, que pode ser fisicamente exaustiva. Depois, há o idioma e as particularidades culturais. Sempre fui privilegiado por contar com bons tradutores, alguns dos quais me advertem quanto a determinados detalhes culturais de que devo estar ciente. Sou muito grato por isso.

Claro, não tenho condições de relatar aqui todas as minhas experiências fora dos Estados Unidos, mas vou partilhar uma das mais significativas. Em 2017, viajei à Hungria. Já havia estado lá anos antes, quando palestrei numa conferência missionária em Budapeste. Contudo, em 2017, fui para lá a convite de meu editor local. Descobri que eles haviam publicado 32 de meus livros para o idioma húngaro. Fiquei lisonjeado quando, numa noite de domingo, antes de iniciar nossa série de palestras, que começaria na segunda-feira, tive a oportunidade de falar a uma centena de pastores, e às respectivas esposas, na Primeira Igreja Batista em Budapeste, a mais antiga congregação batista húngara — ela somava 140 anos, para ser exato. Quando terminei, pastores de diversas denominações se reuniram à minha volta e oraram para que a mão de Deus estivesse sobre as conferências daquela semana.

Mais tarde naquela mesma noite, Kornel Herjeczki, presidente da Fundação Editorial Harmat, contou-me a história daquela Primeira Igreja Batista. O pai dele havia sido pastor dali. O templo foi bombardeado durante a Segunda Guerra Mundial, e tempos depois, tomado pelos comunistas; nessa ocasião, o pai de Kornel foi destituído e levado à região rural do país, onde Kornel nasceu. Os comunistas comandaram a Hungria durante quarenta anos. Quando Kornel estava na faculdade, ele e dois amigos tiveram permissão — algo incomum sob o regime comunista — para viajar até Oxford e participar de uma conferência para estudantes de medicina cristãos. Lá, Kornel encontrou John Stott, o aclamado pastor e escritor britânico, e tomou conhecimento da Editora InterVarsity, que publicava livros cristãos. Kornel e seus amigos compraram alguns livros dessa editora e, já de volta ao *campus*, traduziram alguns deles para o idioma húngaro a fim de que fossem usados em grupos de estudo formados por universitários.

Kornel se tornou médico. Contudo, quando os comunistas finalmente deixaram o país, ele e os amigos fundaram a Comunidade Húngara de Estudantes Evangélicos (chamada MEKDSZ). Mais tarde, com a ajuda de alguns cristãos, sobretudo ingleses, decidiram abrir uma editora cristã em seu país, à qual deram o nome de Harmat, "Orvalho".

Poucos anos depois, Kornel abandonou a prática médica e se tornou o presidente da editora. No início, a maioria dos livros publicados enfocavam o apoio a estudantes cristãos. Muitas dessas obras haviam sido originalmente editadas pelo braço editorial da InterVarsity, ministério internacional de estudantes. Porém, alguns anos antes daquela minha visita à Hungria, eles haviam lançado *As 5 linguagens do amor*, que se tornou *best-seller* e os fez perceber que os húngaros estavam ávidos por apoio no que se referia a relações conjugais e familiares. Assim, passaram a publicar outros livros que escrevi.

Novamente, senti-me bastante emocionado por saber que teria a oportunidade de ministrar em quatro grandes cidades da Hungria. Na segunda-feira à noite, nossa equipe em Debrecen foi incrível. Ali ficava a maior Igreja Reformada da Hungria, datada justamente do período da Reforma. A igreja mantém uma instituição de ensino fundada há quase quinhentos anos e cujo público vai desde crianças do maternal até a jovens universitários; também é mantenedora de um seminário. Tive a oportunidade de conhecer a biblioteca da instituição, que reúne quinhentos mil livros. Na ocasião, autografei seis de minhas obras e as doei para o acervo local. Ou seja, agora eles têm 500.006 livros! Naquela noite, falei sobre linguagens do amor para 1.200 pessoas, que se mostraram muito receptivas. Eva, minha tradutora, natural de Debrecen, também estudara ali.

Nunca vou me esquecer dessa visita. Ela me trouxe à memória a dívida que tenho para com os cristãos que me precederam.

Todos os dias pela manhã, dei entrevistas para repórteres de jornais, revistas, rádio e televisão. Fiquei surpreso com tamanho interesse em questões relacionais e com o impacto que *As 5 linguagens do amor* teve na comunidade húngara. Na terça-feira, saímos às duas da tarde rumo à cidade de Pécs, de carro, e repetimos a palestra, desta vez para uma plateia de mil pessoas, também muito receptivas.

Na manhã seguinte, pude fazer um *tour* por Budapeste. Conhecemos a Colina do Castelo, o Parlamento, a Igreja de Santo Estêvão e a Praça da Independência, onde vimos, bem em frente à embaixada dos Estados Unidos, o monumento em homenagem aos russos, os quais libertaram a Hungria do domínio alemão (e, evidentemente, ocuparam e controlaram o país durante quarenta anos). Contudo, o que mais me comoveu foi deparar com uma fileira de sapatos às margens do Rio

Danúbio, onde judeus haviam sido mortos a tiros e lançados na água durante a Segunda Guerra. São sapatos reais, cobertos de bronze. Os judeus recebiam ordens para tirar sapatos e joias antes de serem atingidos pelos tiros e empurrados no rio. Chorei pela crueldade dos homens e orei para que, um dia, o amor governe as relações humanas.

À tarde, ofereci uma sessão de autógrafos numa livraria secular local. Havia nada menos que 250 pessoas enfileiradas à minha espera! O gerente da loja disse a Kornel que esse número ultrapassava cinco vezes o recorde deles. Acho que autografei mais de quinhentos livros naquele dia. Uma senhora levara consigo uma mala cheia de exemplares, com os quais presentearia seus amigos. Duas pessoas me contaram que as cinco linguagens do amor tinham salvado seu casamento. Ao final, minha mão doía, mas meu coração estava exultante.

O evento seguinte foi em Szeged, cidade organizada em torno de uma universidade. Para chegar lá, atravessamos belos campos de lavoura. No trajeto até Szeged, conversei com a filha de Kornel e a amiga dela, ambas conselheiras cristãs. Elas haviam implantado um centro de aconselhamento denominado Aurum, ao qual outras pessoas se juntaram. Ouvi-las contando quanto se empenhavam para servir a quem atravessa dificuldades inspirou ânimo em mim. Orei pedindo a Deus que continuasse guiando aquela iniciativa. Naquela noite, setecentas pessoas participaram da conferência, lotando o auditório. Mais uma vez, a plateia se revelou bastante acolhedora e receptiva. Antes de cada uma dessas apresentações, e também ao final delas, os editores vendiam alguns livros. Fiquei impressionado diante da avidez com que o público se dedicava a publicações sobre relacionamentos.

O último evento aconteceu em Budapeste, num auditório que acomodava duas mil pessoas. Os ingressos se esgotaram um mês antes da minha chegada. Quando Kornel me perguntou se podíamos fazer uma apresentação extra à tarde, concordei, e os ingressos também se esgotaram. Devo repetir: foi impressionante ver tamanha sede por auxílio prático quanto à edificação do casamento e de relações familiares.

Ao final daquela semana, Kornel comentou comigo: "Essa foi a melhor contribuição que já demos ao nosso país". É evidente que apenas Deus conhece os desdobramentos dos milhares de exemplares vendidos naquele período. Mas eu bem sei que ele usa os livros para tocar corações e transformar vidas. Sabendo da história da editora, sinto-me muito grato por poder ajudá-la a alcançar cada vez mais pessoas.

---

Por que não deixo a igreja para viver apenas dos livros e das palestras? Primeiro, porque acredito que a igreja é o principal meio pelo qual se pode conquistar o mundo para Cristo; segundo, porque preciso de uma igreja para chamar de minha, uma família com quem eu possa partilhar a vida.

---

Numa das noites em que estive na Hungria, jantei na casa de Kornel na companhia de sua esposa, Anna, e de seus três filhos: dois rapazes já crescidos e uma garota. Anna preparou um *goulash* delicioso. Você não achou que eu seria capaz de ir até a Hungria e deixar de comer *goulash*, certo? Para falar a verdade, comi *goulash* todos os dias, mas o de Anna foi o melhor.

Eu poderia falar do privilégio que foi ministrar em países como México, Costa Rica, Honduras, Porto Rico, Peru, Brasil, Turquia, China, Coreia do Sul, Cingapura, Canadá, Inglaterra, Escócia, Alemanha, França, Bélgica, Holanda, Suíça, Itália, Ucrânia e Benim, na África Ocidental. Porém, acredito que você entenda por que escolhi relatar minha visita à Hungria. Fiquei maravilhado ao ver o que Deus pode fazer com quem entrega a vida a ele. Kornel e aqueles que o acompanham no ministério editorial infundiram grande ânimo em mim.

Como já mencionei, minha vida tem sido uma combinação de foco e versatilidade. É focada no objetivo de servir a Cristo servindo pessoas. Também é focada no serviço à mesma igreja há cinquenta anos, como pastor associado. Isso pode ser considerado um recorde, sobretudo para uma igreja batista. Todavia, há versatilidade no envolvimento com grupos de diversas faixas etárias, compostos por jovens, universitários, adultos solteiros ou casais casados. Também há versatilidade no fato de meu serviço abranger diferentes vias ministeriais: diretor de acampamento, professor universitário, gestor educacional, pastor, conselheiro, autor, palestrante e apresentador de programa de rádio. Sinto-me abençoado por ter o melhor dos dois mundos, sendo focado e versátil. Dessa forma, nunca fico entediado: é com um espírito de ousadia que aguardo cada novo amanhecer, sabendo que Deus guiará meus passos.

Às vezes, as pessoas me perguntam:

— Por que você não deixa a igreja e vive apenas dos livros e das palestras, já que isso lhe abre tantas portas?

Minha resposta é:

— Por dois motivos: primeiro, porque acredito que a igreja é o principal meio pelo qual se pode conquistar o mundo para Cristo; segundo, porque preciso de uma igreja para chamar de minha, uma família com quem eu possa partilhar a vida.

Estou plenamente ciente de que um dia deixarei a equipe eclesiástica, mas, ainda assim, desejarei servir como voluntário. Por que eu abandonaria minha família na fé?

Outra pergunta que ouço com frequência é:

— O que vai querer fazer quando se aposentar?

Ao que respondo:

— Quero fazer o que faço agora.

Se Deus me der saúde para tanto, pretendo continuar caminhando pelas portas que ele abre para mim. Se ele estiver comigo, eu as atravessarei. Não tenho outros planos exceto os dele. Somente oro para que Deus guarde meu coração e guie meus passos até a linha de chegada.

## O QUE APRENDI EM MINHA CARREIRA PROFISSIONAL

1. Que nossos planos nem sempre são os planos de Deus.
2. Que os planos de Deus são sempre melhores e maiores do que aqueles que possamos imaginar.
3. Que amar verdadeiramente as pessoas é a atitude mais cristã que podemos ter.
4. Que ter um "ouvido que ouve" é o primeiro passo para oferecer ajuda às pessoas.
5. Que as situações difíceis deixam de parecer irremediáveis quando nos voltamos a Deus.
6. Que Deus é capaz de fazer extraordinária e abundantemente mais do que possamos pedir ou pensar.

# Epílogo

Relatar minhas "lições de vida" foi uma experiência prazerosa para mim. Olhar para trás, percorrendo os mais de oitenta anos em que Deus vem dirigindo minha vida, é algo que me deixa bastante sensibilizado. Como ele pôde tomar até mesmo minhas falhas e usá-las para me ensinar, para me preparar e para me usar com o propósito de ajudar tantas outras pessoas? Tudo isso revela sua imensa misericórdia e graça.

Sou profundamente grato a todos que foram instrumentos de Deus em minha vida e a influenciaram para que eu me tornasse quem sou. Por vezes, numa única conversa, vocês me encorajaram, corrigiram ou ensinaram. Com alguns de vocês, convivi durante toda a vida, celebrando aniversários, casamentos e funerais. Tivemos várias conversas nas quais partilhamos nosso coração. É por isso que os considero meus amigos. Sei que, se eu precisar, vocês virão até mim o mais rápido que conseguirem, e farei o mesmo por vocês. Neste livro, mencionei uns poucos nomes desse grupo; há inúmeros outros, alguns geograficamente próximos de mim, outros espalhados ao redor do mundo. Sou grato a todos vocês.

Alguns daqueles que impactaram minha vida significativamente já estão no paraíso. Entre eles, está minha irmã, Sandra Benfield. Tanto ela quanto eu nos casamos no verão de 1961. Sandra e seu marido, Reid, continuaram morando na região onde crescemos, e Deus lhes deu três filhas adoráveis: Tracy, Jill e Allison. Quando meu pai faleceu, aos 85 anos, mamãe já não tinha condições de cuidar da casa de três andares onde viviam. Então, Sandra e Reid compraram uma casa ao lado da deles, e para lá foi minha mãe. O plano era que, na velhice de mamãe, eles cuidassem dela. Porém, acabou que mamãe e Reid cuidaram de Sandra, que faleceu aos 58 anos, oito dos quais lutando contra um câncer. Sandra foi um exemplo para mim em dois sentidos: como dedicar a vida ao cuidado dos outros e como encarar a morte com tranquilidade confiante, amparando-se totalmente em Deus. Só poderei expressar toda a minha gratidão pela vida de minha irmã quando estivermos juntos novamente, na presença de Cristo.

Olho em retrospectiva para a minha vida e fico fascinado com a jornada que me trouxe até aqui. Perceber o modo como Deus se valeu de todas as situações para cumprir seu propósito é realmente incrível. Tenho total certeza de que nada disso teria acontecido se não fosse pela suave mão de Cristo, nosso Salvador e Senhor, que se estende a mim (e a todos os que nele creem). Meu hino predileto expressa a gratidão que levo em meu coração. Pedi que cantem esse hino em meu funeral, quando eu deixar este mundo e partir para a eternidade, onde descobrirei um novo capítulo dos planos de Deus para mim.

*Fico maravilhado na presença*
*De Jesus, o Nazareno,*
*E me pergunto como ele pôde amar a mim,*
*Pecador, condenado, impuro.*

*Acredito que foi no Jardim.*
*Ele orou: "Não a minha vontade, mas a tua";*
*Ele não chorava por sua própria angústia,*
*Mas derramava gotas de sangue pela minha.*

*Tomou meus pecados e minhas aflições,*
*Tornando-os seus;*
*Suportou o fardo até o Calvário,*
*Sofreu e morreu sozinho.*

*Quando estiver na glória com os remidos,*
*Sua face finalmente verei;*
*Por toda a eternidade, minha alegria será*
*Cantar seu amor por mim.*

*Como é maravilhoso! Como é magnífico!*
*E minha canção para sempre será:*
*Como é maravilhoso! Como é magnífico!*
*O amor que meu Salvador tem por mim!*[*]

De tudo o que impactou a jornada da minha vida, nada foi maior que o maravilhoso amor, a misericórdia e a graça de Deus.

[*] Tradução de Charles H. Gabriel, "I Stand Amazed in the Presence", Hymnary.org, 1905, <https://hymnary.org/text/i_stand_amazed_in_the_presence>. Acesso em: 7 de fevereiro de 2022.

# Livros de autoria ou coautoria de Gary Chapman

(As obras relacionadas com título em português foram todas publicadas pela Mundo Cristão.)

## TÍTULOS DA SÉRIE LINGUAGENS DO AMOR®

*As 5 linguagens do amor: Como expressar um compromisso de amor a seu cônjuge*

*As 5 linguagens do amor para homens: Como expressar um compromisso de amor a sua esposa*

*As 5 linguagens do amor das crianças: Como expressar um compromisso de amor a seu filho*, em coautoria com Ross Campbell

*As 5 linguagens do amor dos adolescentes: Como expressar um compromisso de amor a seu filho adolescente*

*As 5 linguagens do amor para solteiros*

*The 5 Love Languages Military Edition: The Secret to Love That Lasts*, em coautoria com Jocelyn Green

*A Teen's Guide to the 5 Love Languages: How to Understand Yourself and Improve All Your Relationships* [no prelo], em coautoria com Paige Hayley Drygas

*Discovering the 5 Love Languages at School (Grades 1–6): Lessons That Promote Academic Excellence and Connections for Life*, em coautoria com D. M. Freed

*As 5 linguagens do amor de Deus*

*Visto. Conhecido. Amado: Como Deus nos ama por meio das 5 linguagens do amor*, em coautoria com R. York Moore
*Bíblia devocional do casal: As linguagens do amor*
*What Are the 5 Love Languages?: The Official Book Summary*
*A Perfect Pet for Peyton*, em coautoria com Rick Osborne
*Penny's Perfect Present*, em coautoria com Rick Osborne
*Um conto de casamento*, em coautoria com Chris Fabry

## TÍTULOS SOBRE RELAÇÕES DE TRABALHO

*As 5 linguagens da valorização pessoal no ambiente de trabalho*, em coautoria com Paul White
*Não aguento meu emprego: Como viver bem num ambiente de trabalho que faz mal*, em coautoria com Paul White e Harold Myra
*Sync or Swim: A Fable About Workplace Communication and Coming Together in a Crisis*, em coautoria com Paul White e Harold Myra

## TÍTULOS DA SÉRIE "101 CONVERSATION STARTERS"

*101 Conversation Starters for Couples*, em coautoria com Ramon Presson
*101 More Conversation Starters for Couples*, em coautoria com Ramon Presson
*101 Conversation Starters for Families*, em coautoria com Ramon Presson

## TÍTULOS DA SÉRIE "LOVE + HOPE"

*Holding On to Love After You've Lost a Baby: The 5 Love Languages for Grieving Parents*, em coautoria com Candy McVicar

*Building Love Together in Blended Families: The 5 Love Languages and Becoming Stepfamily Smart*, em coautoria com Ron R. Deal

*Sharing Love Abundantly in Special Needs Families: The 5 Love Languages for Parents Raising Children with Disabilities* [no prelo], em coautoria com Jolene Philo

*Keeping Love Alive as Memories Fade: The 5 Love Languages and the Alzheimer's Journey* [no prelo], em coautoria com Edward Shaw e Deborah Barr

## OUTROS TÍTULOS

*5 Simple Ways to Strengthen Your Marriage... When You're Stuck at Home Together*

*Ira! Aprenda a expressar esta emoção*

*Choose Greatness: 11 Wise Decisions That Brave Young Men Make* [no prelo], em coautoria com Clarence Shuler

*Inesperada graça: Descubra Deus na história de sua vida*

*How to Really Love Your Adult Child: Building a Healthy Relationship in a Changing World*, em coautoria com Ross Campbell

*Loving Your Spouse When You Feel Like Walking Away: Real Help for Desperate Hearts in Difficult Marriages* [no prelo]

*Casados e ainda apaixonados: Alegrias e desafios na segunda metade da vida*, em coautoria com Harold Myra

*One More Try: What to Do When Your Marriage Is Falling Apart* [no prelo]

*A criança digital: Ensinando seu filho a encontrar equilíbrio no mundo virtual*, em coautoria com Arlene Pellicane

*Grandparenting Screen Kids: How to Help, What to Say, and Where to Begin*, em coautoria com Arlene Pellicane

*Faça você mesmo: Guia prático para reformar sua família*, em coautoria com Shannon Warden
*A família que você sempre quis: Cinco maneiras de obtê-la*
*O casamento que você sempre quis*
*The Marriage You've Always Wanted Event Experience*
*The Marriage You've Always Wanted Small Group Experience*
*Things I Wish I'd Known Before My Child Became a Teenager* [no prelo]
*O que não me contaram sobre o casamento: Mas que você precisa saber*
*Ah, se eu soubesse! Coisas que aprendi só depois de ter filhos*, em coautoria com Shannon Warden
*As 5 linguagens do perdão*, em coautoria com Jennifer Thomas
*Incertezas de outono*, em coautoria com Catherine Palmer
*Happily Ever After: Six Secrets to a Successful Marriage*
*Acontece a cada primavera*, em coautoria com Catherine Palmer
*Promessas de Deus para abençoar seu casamento*
*Love as a Way of Life: Seven Keys to Transforming Every Aspect of Your Life*
*The Love as a Way of Life Devotional: A Ninety-Day Adventure That Makes Love a Daily Habit*, em coautoria com Elisa Stanford
*O amor é um verbo: A emoção é apenas o começo*
*Love Language Minute for Couples: 100 Days to a Closer Relationship*
*Love Notes for Couples*
*Comunicação & intimidade: O segredo para fortalecer seu casamento*
*Brisa de verão*, em coautoria com Catherine Palmer
*As quatro estações do casamento*
*Linguagens de amor: Leituras diárias com o amor de sua vida*
*Do inverno à primavera*, em coautoria com Catherine Palmer

# Agradecimentos

Já mencionei a importância da Equipe Chapman, da Editora Moody, para minhas publicações. Atualmente, a equipe é composta por John Hinkley, Janis Todd, Betsey Newenhuyse, Zack Williamson, Randall Payleitner, Richard Knox, Ashley Torres e Joel Stombres. Mais uma vez, quero expressar minha profunda gratidão a cada um deles. Como sempre, esse pessoal tornou mais um livro possível.

Também quero agradecer a outros que integraram a Equipe Chapman no decorrer dos anos: Greg Thornton, Ed Santiago, Judy Tollberg, Steve Gemeiner, Grace Park, Jim Jenks, John Trent e Becky Byrd. Considero todos vocês minha família estendida, assim como os demais integrantes do time da Editora Moody. Deus usou cada um de vocês de forma decisiva em minha jornada.

Falei de meus coautores, mas não os nomeei. Quero manifestar meu apreço por eles: Arlene Pellicane, Ross Campbell, Catherine Palmer, Ed Shaw, Debbie Barr, Jolene Philo, Paul White, Jocelyn Green, Chris Fabry, Harold Myra, Shannon Warden, Clarence Shuler, Candy McVicar, Ron Deal e York Moore. Cada um de vocês teve sua relevância em minha vida e em meu ministério; por isso, sou imensamente grato.

Em minha rotina diária como escritor, pastor, conselheiro e palestrante, quatro senhoras desempenharam um papel fundamental: Anita Hall, Tricia Kube e Debbie Barr foram minhas assistentes administrativas durante anos. Elas tiveram de lidar com muitos telefonemas, *e-mails* e mensagens de texto de gente questionando sobre aconselhamento, conferências ou entrevistas. Jamais poderei expressar minha profunda estima pela maneira como elas influenciaram minha vida. A quarta senhora, caso você esteja se perguntando, é minha esposa, Karolyn. Como eu já disse, ela revisa todos os meus livros, e este não foi exceção. Definitivamente, dois são melhores que um.

Compartilhe suas impressões de leitura,
mencionando o título da obra, pelo e-mail
**opiniao-do-leitor@mundocristao.com.br**
ou por nossas redes sociais

Esta obra foi composta com tipografia Adobe Caslon Pro e Europa
e impressa em papel Pólen Natural 70 g/m² na gráfica Imprensa da Fé